The Legend of Zelda Breath of the Wild
MASTER WORKS

ILLUSTRATIONS

マスターワークス　初出イラスト　005

E3 2016 公開　メインイラスト　007

DESIGNER'S NOTE

当初、崖を上るリンクとは別に、初代『ゼルダの伝説』のリンクと同様の構図(下)も検討していました。初めて『ブレス オブ ザ ワイルド』をプレイしたときに、個人的に初代と何か共通するようなエッセンスを感じたからです。最終的に、E3では「新しさ」をアピールするために初代案は見送ったのですが、代わりに、Twitter告知用のイラスト(P.031)としてこのセルフオマージュのネタを生かしました。

【Illustrator 和田 拓】

E3 2016 公開 メインイラスト ラフ案

DESIGNER'S NOTE

E3のイラストでも意識していた「世界と対峙するリンク」というテーマをよりシンボリックに描いたのが、本作のメインイラストです。最初に背中向きのラフを描き、その後、他の構図案も複数検討したのですが、キャラクターだけでなく舞台となる世界そのものが本作の主役であると考え、最初の方向性に落ち着きました。背景には「新しい『ゼルダ』の幕開け」という想いも込めて、夜明けの空を描いています。

【Illustrator 和田 拓】

パッケージ用 メインイラスト ラフ案

Nintendo Switch プレゼンテーション 2017公開　メインイラスト / ラフ案　015

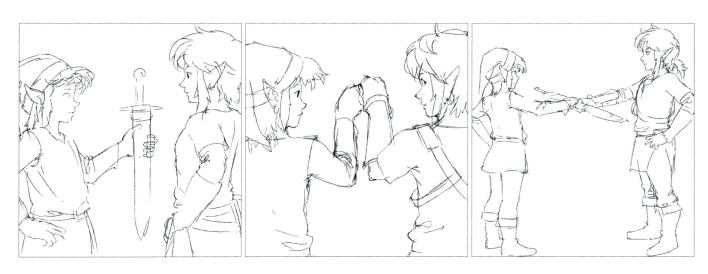

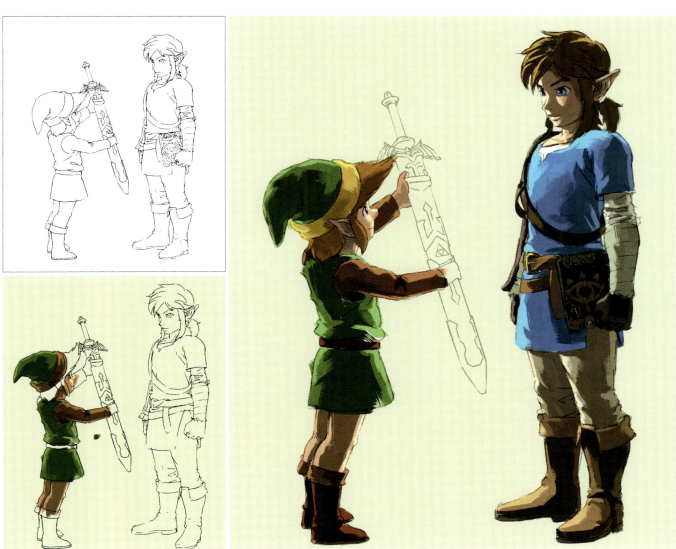

Designer's Note

雑誌は書店やコンビニなどで、ゲーム情報にあまり詳しくないお客様の目にも触れるため、青い服のリンクだけを描いても『ゼルダの伝説』だと理解していただけないのでは？ という懸念がありました。少しでも多くの人に「新しい『ゼルダ』が出るよ！」ということを伝えたかったため、対比として初代のリンクを一緒に描きました。ソフトの発売を記念して、身長比や武器の設定にはこだわらずに、過去から現在へ脈々と引き継がれる想いを僕なりに表現したのが、このイラストです。

【Illustrator 和田 拓】

EDGE 表紙用イラスト 019

Game Informer 2017年3月　表紙用 イラスト　021

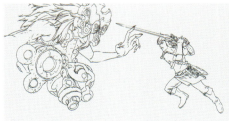

北米 バンドルセット用　イラスト / ラフ案 / 製作過程

ニンテンドープリペイドカード用　イラスト／ラフ案　025

DLC第1弾　試練の覇者　メインイラスト　027

DLC第2弾　英傑たちの詩　メインイラスト

公式Twitter 告知用イラスト 031

回生のマスターソード 033

Character Art

034

リンク / ラフ案　035

リンク / ラフ案　039

ゼルダ姫 / ラフ案 041

042　ダルケル / ラフ案

ミファー / ラフ案　043

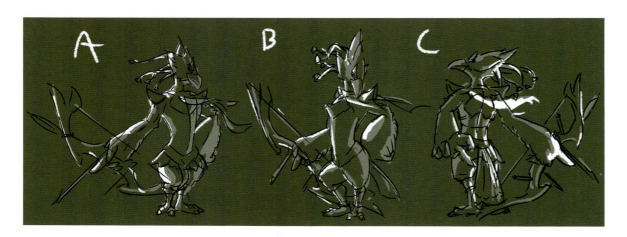

044　リーバル / ラフ案

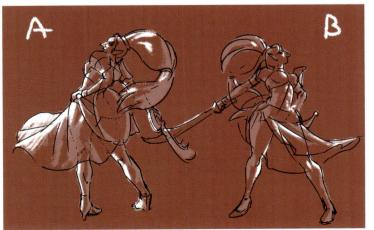

ウルボザ / ラフ案　045

ガーディアン / ラフ案 047

マスターバイク零式／ラフ案 049

CHAPTER.2
MAKING

CONTENTS

リンク	052
ゼルダ姫	060
ガノン	068
英傑	076
ハイリア人	086
シーカー族	094
ゾーラ族	104
ゴロン族	112
リト族	118
ゲルド族	126
各地の妖精たち	134
魔物	140
生き物	150
武器・盾	160
服・アクセサリー	172
素材	192
古代シーカー遺物	196
中央ハイラル	214
ハテール地方	250
ラネール地方	266
アッカレ地方	278
オルディン地方	286
ヘブラ地方	298

本章では『ゼルダの伝説　ブレス オブ ザ ワイルド』を構築するために描かれた、膨大な量に及ぶ設定画を集積し掲載。広大な世界を彩るさまざまな要素を各カテゴリーごとに分類し、その背景とともに解説している。

　メイキングと題したように、決定稿とそれにともなう検討稿を通じ、その圧倒的な物量の制作過程と開発陣の熱量を感じていただければ幸いである。

永き眠りから目覚めし勇者　リンク

始まりの台地にて100年の間眠りについており、記憶を失った状態で目覚めた青年。謎の声に導かれ、厄災ガノンを討ち記憶を取り戻すために広大なハイラルを巡ることになる。もとは100年前に存在した王家に仕える近衛の家系出身であり、退魔の剣に選ばれた騎士。険しい崖も素手で登れるほどの驚異的な身体能力を持ち、なんでも食べる健啖家。

リンク素体

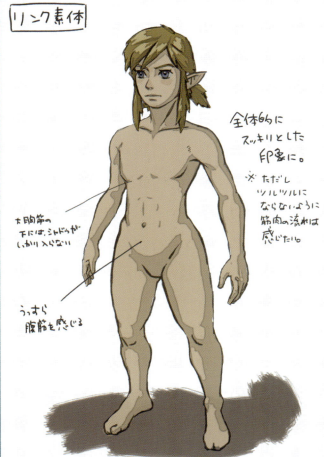

全体的に
スッキリとした
印象に。

※ ただし
ツルツルに
ならないように
筋肉の流れは
感じたい。

大胸筋の
下には、シトゥがが
しっかり入らない

うっすら
腹筋を感じる

DESIGNER'S NOTE

　リンクはゲームの主人公なので「誰が見てもカッコいい」と思ってもらえるようにすべきだと、今作を作るまでは信じていました。でも、それをやり過ぎると、遊ぶ人にとっては「すでに出来上がっているヒーロー」を操っているだけの感覚になって、リンク＝自分という没入感を阻害している可能性があると感じて、今作のリンクはいろんな意味で「ニュートラル」な感覚のキャラクターにしたいと考えました。シリーズでトレードマークになっていた「緑の服」「緑の帽子」も、固定されたイメージが付きまとうので刷新しようと考えましたが、それがなぜ、あの「青」になったのかは、私を含め、スタッフの誰かが「そうしよう!」と言ったわけでもなく「自然とそうなった」ように思います。

【Producer　青沼 英二】

リンク　055

▶ 検討稿

開発序盤に作成された、手書きのイメージラフスケッチ。デザインを考える際は最初にスケッチブックにさまざまなアイデアを描き起こし、そこから良いものを選別してデータ化・着色などを行い、デザインラフとして発展させていった

056

DESIGNER'S NOTE

　自分を投影できるニュートラルなキャラクターへの刷新、アタリマエを見なおす! という青沼プロデューサーの宣言から始まった「新しいリンク像の創造」がデザイナーたちの絵心を刺激したことは、現代的な面白い切り口の検討稿からもひしひしと感じられるのではないでしょうか。彩色されてチーム内に公開されたリンクのデザイン案は100枚近く存在し、線画段階のスケッチは数えきれません。　【Art Director　滝澤 智】

　マントや鞄などの意匠からも片鱗がうかがえるかと思いますが、今作のリンクは辺境からの旅人のような「冒険感を醸し出すたたずまい」をイメージして描きました。開発初期には背景込みのスケッチも多く描かれ、風景の中でキャラクターが引き立つ「青い服」もこのころに出てきたと記憶しています。英傑の服は、P.055にある開発初期のイメージと胸の模様が違うのですが、お気づきでしょうか? リンクならではということで最終的にマスターソードをあしらったデザインになりました。英傑の服の由縁はDLC第2弾「英傑たちの詩」で触れられています。
【Senior Lead Artist：Character / Item　尾山 佳之】

開発初期にあがっていたリンクの案のひとつ。パーカーにジーンズと現代風の衣装で、ギターを演奏したりバイクにまたがったりしている姿が斬新

リンク　057

▶検討稿

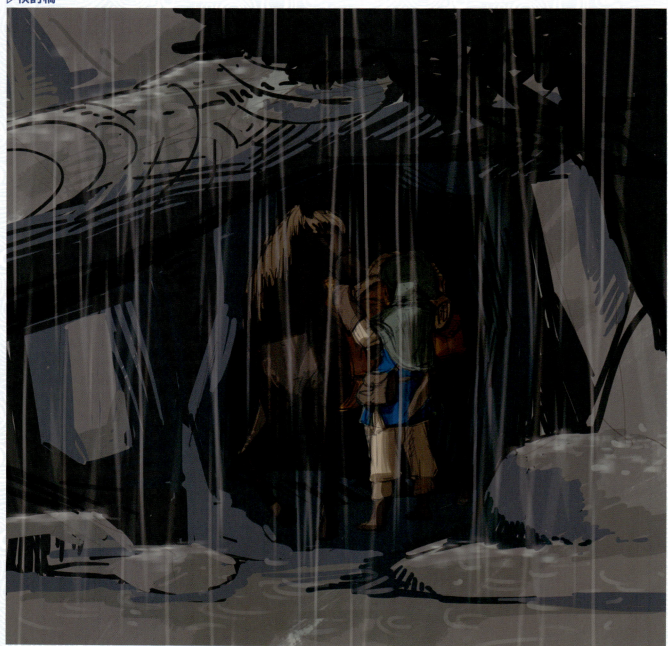

ウルフリンク (amiibo)

2016年にWii Uで発売された『ゼルダの伝説 トワイライトプリンセス HD』の「ウルフリンク」のamiiboを読み込ませると登場。影の世界に入りケモノの姿になった選ばれし勇者。道中をともにし、試練の祠の探索や狩り、魔物との戦闘などを手助けしてくれる。異世界からの来訪者であるため、一般の住人には見えない。

▶検討稿

初期アイデアとしてあったナビゲーターキャラの草案。最終的にナビゲーター役はなくなったが、いっしょに魔物と戦うといった仕様は、ここからウルフリンクの動きに受け継がれている

実際の画像

実際の画像

BACKGROUND
リンク

100年前に命運尽きた姫付きの騎士としての姿

近衛の家系に生まれ、さらに退魔の剣に選ばれたことで、他人の注目を集めたリンク。そのため常に「模範足れ」と意識し、感情を表に出すことができなくなり無口で無表情になったという。内面は実直で真面目であり、時に度が過ぎるほど任務に忠実。ゼルダ姫付きの騎士となってからは、本人に断られた場合でも各地に調査に赴く際は常に同行している。感情が読めないせいで姫からも警戒心を抱かれていたが、イーガ団による襲撃以降は信頼関係を築いた。

❶常にゼルダ姫の傍に控えていたリンク。しかし姫にとって"特別な人間"であるリンクは苦手な存在だった ❷父の跡目を継ぎ、自身も近衛騎士となる。実力はさることながら常に鍛錬を怠らない努力家でもあり、雨宿りの際も剣を振るっていた ❸大厄災の際はゼルダ姫をかばいながらガーディアンたちを退けていたが、ハテノ砦にたどり着く前に力尽きた

回生の眠りがもたらした記憶の欠落と性格の変化

回生の眠りにより傷は癒え復活したリンクであるが、長すぎる眠りは彼の記憶をすべて失わせる結果となった。

また、100年前は感情表現に乏しかったリンクだが、長い眠りについたことで時代が変化。自分を知る者が少なくなり"注目の視線"から解放されたこと、さらに記憶をなくしたことも相まって、現在のリンクは以前に比べ表情も豊かになり、言動も明るくなるなどの変化が表れている。

厄災ガノンを封じたハイラルの姫　ゼルダ姫

100年前に存在したハイラル王国の姫。遠い祖先から聖なる女神の血を継ぐ。100年前の大厄災にて王国は滅亡するが、ゼルダ姫が身を挺して封印の力を使い、侵攻を王国中心部でくい止めることに成功。以降100年間ハイラル城で厄災ガノンの力を抑え続けている。心優しい性格だが真面目すぎる面が災いして、力の及ばない自分に思い悩んでいた。

王城にいる際や儀式の際に着用している王家の正装。王家ゆかりの色である鮮やかなロイヤルブルーにゴールドの装飾が華やかなドレス。リンクが思い出す100年前の記憶の中で着用していた場面が最も少ない

ゼルダ姫 063

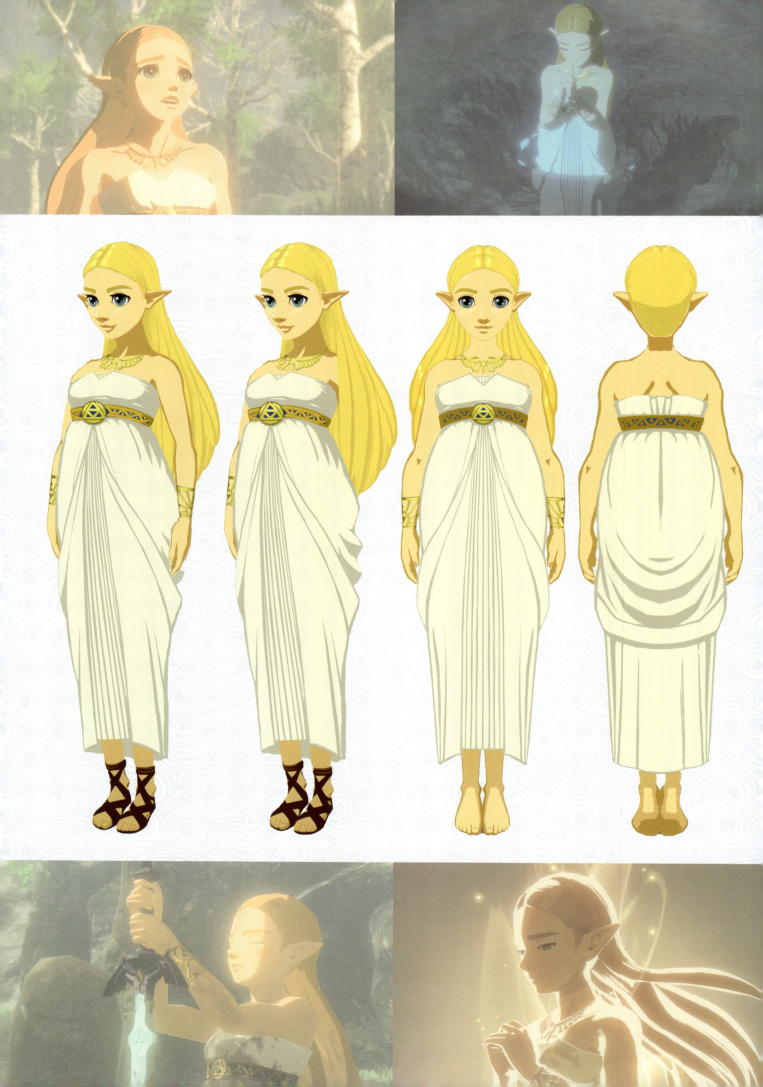

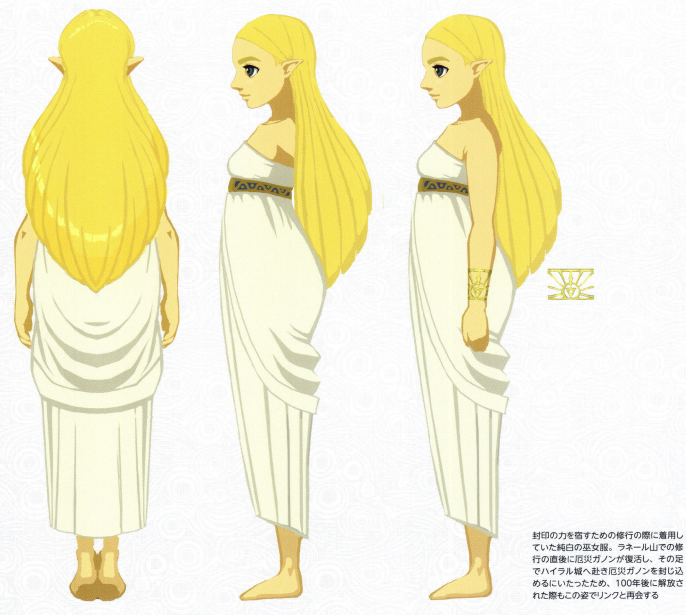

封印の力を宿すための修行の際に着用していた純白の巫女服。ラネール山での修行の直後に厄災ガノンが復活し、その足でハイラル城へ赴き厄災ガノンを封じ込めるにいたったため、100年後に解放された際もこの姿でリンクと再会する

Designer's Note

思い出の断片の中でゼルダ姫の内面を描いたのは「彼女を知りたい、救いたい」という意識を強くもっていただくためでした。「100年前の敗北」という物語の背景から生まれた「封印の力を使えない姫」ですが、これは多くの作品を経てきたこのシリーズだからこそ効果を発揮できた設定だと思います。
【Cinematic Design　森 直樹】

王女ということよりも共感できる等身大の少女という側面に重きを置いて、多感でモラトリアムな年齢であることを意識しています。TPOにあわせた3種類の衣装はアクセサリーを含めてゼルダ姫本人が選んでいることを前提に、可愛かったり素敵だなと思っていただけるデザインを目指しました。
【Lead Artist：NPC　篠田 博仁】

▶検討稿

今日は付き添わなくて良いと伝えた筈です。
いくら父上の命令でも、当の私が
護衛は必要ないと言っているのです。
城に戻り父にそう伝えて下さい

もし、そうなら…
貴方はどうしたと思いますか？

だから必ず私が
ガノンに対抗出来る様に
あれを仕上げてみせます！」

……何も……感じられません。
私には何一つ感じられないのです……

いいえ！それどころか、
皆を死に追いやってしまった！……

！……私は結局……」

ムービーで流れるセリフに合わせて
さまざまな表情が描かれている。
本作のゼルダ姫はこうした表現により、聖なる姫でありながら、人間らしい弱さも見せる、感情豊かなキャラクターとなっている

  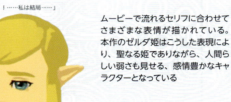

066

BACKGROUND
ゼルダ姫

ゼルダ姫と心を通わせた王家ゆかりの白馬

　遺跡調査に修行にと、ハイラル全土を行き来することが多かったゼルダ姫は、ハイラルでは珍しい白い毛を持つ馬を愛馬としていた。単色の馬は能力が優秀ながら気性が荒く懐きにくいため、ゼルダ姫も初めは乗りこなすのに苦労したようだが、乗馬の才にも秀でたリンクの教示により心を通わせることに成功した。

　この王族ゆかりの希少な白馬は、王国滅亡から100年経った現在も中央ハイラルのサーディン公園跡地付近にてたびたび目撃されている。付近にある平原外れの馬宿に住む協会員は、その白馬はゼルダ姫の愛馬の子孫ではないかと推測している。

ゼルダ姫の愛馬には、その証として王家の紋章の入った馬具が取り付けられていた。この王家の馬具も平原外れの馬宿に住む協会員のもとに伝承されている

"聖なる姫"でありながら"人間らしい"ゼルダ姫

　王家に生まれた姫でありながらも、それにおごらず研究を続ける努力家であり、表情豊かで行動力もある姿が垣間見られるゼルダ姫。だが王家の女性に現れる聖なる力に長く目覚められなかったこともあり、コンプレックスに思い悩み、リンクにきつくあたることも多かった。

　しかし、ゼルダ姫と親交のあった宮廷詩人の弟子が語る逸話には、リンクに対し、お互いに信頼関係を築いたことで次第に好意を抱くようになったというものがあり、"王家の姫"のイメージとは異なる思春期の少女らしい面も感じられる。

❶カエルによる人体実験をリンクに迫る姫。非常に好奇心旺盛であったことも、フットワークの軽さを助長させていたようだ ❷同行を拒否したはずのリンクが無粋にも自分を追いかけてきたために、思わずふだんの冷静な振る舞いを忘れ、声を荒らげたこともあった

怨念にまみれし厄災 ガノン

ハイラル王国に幾度となく災いをもたらしてきたという憎悪と怨念の権化。1万年前に勇者と姫、そしてシーカー族の叡智によってハイラルの大地に封印されていたが、100年前に復活を果たしハイラル全土を滅亡の危機に陥れる。しかしゼルダ姫の決死の行動により、その力をハイラル城内に抑え込まれ、100年もの間侵攻を停止していた。

← 厄災ガノン（怨念）

ゼルダ姫に体内から力を抑え込まれた状態のガノン。霧のような姿でハイラル城を囲うようにうごめいているが、厄災ガノンの本体は繭（P.071）の状態で封印されたため実体はない。強い憎悪と怨念が集まってできた思念体のような存在である。

▷ 検討稿

069

厄災ガノン

　ハイラル城にてその力を封印されていた、厄災ガノンの本体。ゼルダ姫の力が弱まったことと勇者が目覚めたことが引き金となり、不完全な状態で復活した。巨大なクモのような姿で、さまざまな武器を用いて襲ってくる。また100年前に奪った古代シーカーの遺物を取り込んでおり、ガーディアンに似たビームなどを駆使する。

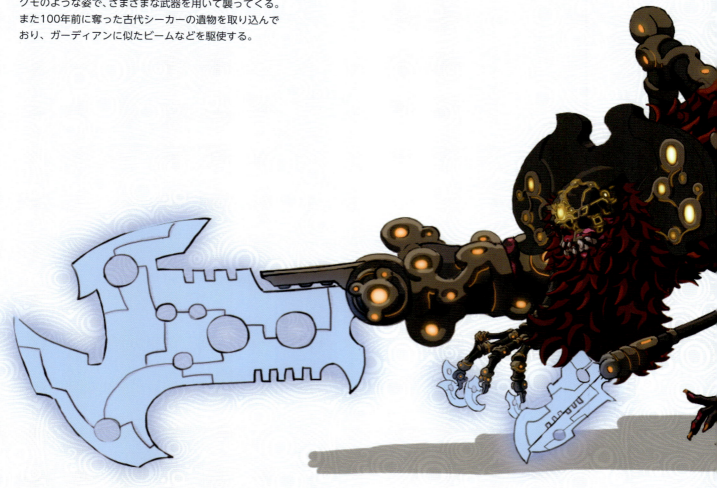

▷検討稿

不完全体ガノン（仮）

ガノンの繭

厄災ガノンが復活し、現世に現れようとした直前の姿。復活の直前にゼルダ姫に封印されたため、100年間この状態でとどまっていた。ハイラル城本丸の謁見の間に寄生し、復活の時を待っていた。

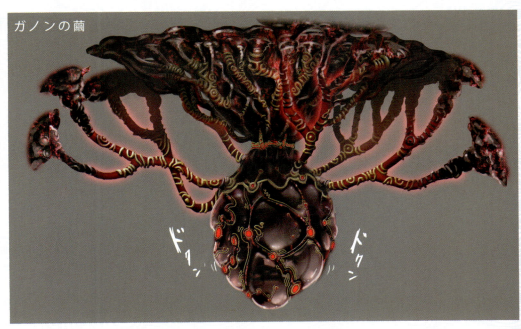

ガノンの繭

魔獣ガノン

追い詰められた厄災ガノンが変身した、イノシシに似た真の姿。神獣ほどに巨大な体躯は、象徴である黒とピンクの怨念の塊と炎に覆われており、たとえ勇者といえど近づくこともままならない。

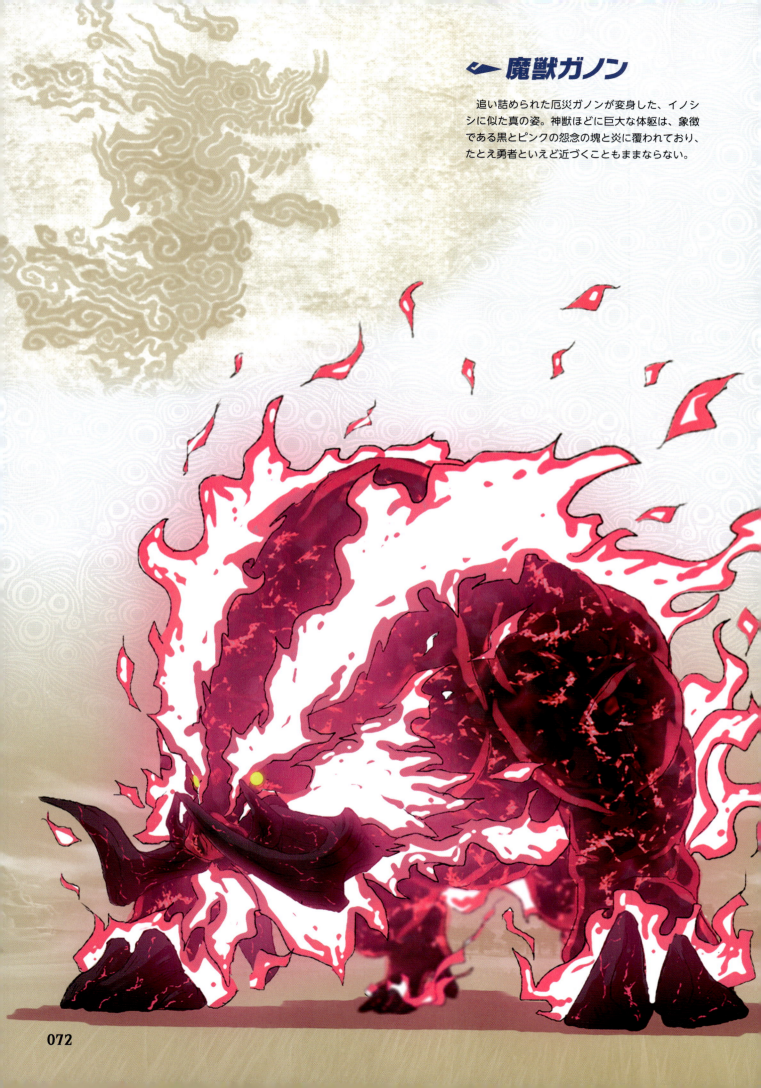

▶検討稿

DESIGNER'S NOTE

　最初に戦うときは、ゼルダ姫に力を抑え込まれているため完全な形で復活できない未成熟な状態でしたが、ガノンも自らの怨念を抑えきれず、最後は暴走して獣の姿になってしまいます。ハイラル各地に点在する「ガノンの怨念」がデザインとして先にありましたので、全身が怨念でできた魔獣、そしてガノンといえば豚型の魔物、とい

う発想で「憎悪と怨念そのもの」を目指してデザインしています。広大なハイラルの冒険、その締めくくりはやっぱり広い大地で決着をつけたい！というコンセプトから、最終的に今作のガノンはかなりの巨体になりました。リンクと比べてみると、おそらく過去最大なんじゃないかな？と思います。

【Enemy Art　濱田 裕基】

カースガノン

100年前の復活の際、四神獣の中に侵入し操縦者だった英傑たちの命を奪った、ガノンの分身。共通して赤い髪のような部位と古代遺物に似た紋様を体に持つ。

▷炎のカースガノン

実際の画像

▷水のカースガノン

実際の画像

直立形態
マッチョではなく骨ばった感じでお願いします
ただ、ガリガリではなく筋肉はしっかりついています

縦横の2軸回転です

DESIGNER'S NOTE

長い冒険の中で、常にガノンの存在を意識して遊んでほしいという想いがありました。ですのでガノンを連想させる赤い髪をカースガノンのデザインに取り入れています。各神獣にカースガノンが登場することによって、ガノンの存在が常にリンクのそばにあるように感じていただけたかと思います。カースガノンはガノンの妄念から生まれたという設定なので、そのおぞましさが伝わることを意識してデザインしました。

【Lead Artist：Enemy 木内 崇文】

074

▷ 風のカースガノン

▷ 雷のカースガノン

盾の根本は球体関節的な物になっていて手首部分が可動します

BACKGROUND
ガノン

復活を諦めぬ妄念から異形の獣となった者

　ガノンははるか古代に生まれたゲルド族の者という伝承があり、伝承が正しければ、厄災ガノンは元は人間であった。

　現在は天災とも称され、クモやイノシシなど獣のような異形の姿である厄災ガノンだが、自身の分身である4体のカースガノンは比較的人に近い形状をしている。またカースガノンと厄災ガノンにはゲルド族固有の特徴である赤い髪に似た頭髪のような部位も確認できる。

古代技術を取り込んだガノンの狡猾な策

　四神獣の内に入り込み乗っ取ったカースガノンたちは、神獣が有する能力をも取り込み利用した。ルッタに巣食った水のカースガノンであれば氷塊を放つ能力、メドーに巣食った風のカースガノンであれば竜巻を起こす能力などである。

　本体である厄災ガノンもまたガーディアンをはじめとする古代技術を取り込んでおり、カースガノンや神獣と同じ能力を有するほか、後ろ足の一部がガーディアンのものに酷似している。

1 2 それぞれのカースガノンは大剣・槍・砲撃による遠距離攻撃・小剣と盾など異なる武器を操るほか、神獣の能力を取り込み、その能力を利用した攻撃も仕掛けてくる 3 神獣やカースガノンと同じ技も用いる厄災ガノン。神獣を乗っ取ったカースガノンが厄災ガノンの分身であり、カースガノンを通して神獣の力を吸収したためである

ともに戦う異種族の仲間たち 英傑

100年前、復活を予言された厄災ガノンに対抗するため、ハイラル王家が世界各地に暮らすさまざまな種族から選出した精鋭たち。聖なる姫を長とし、退魔の剣に選ばれたハイリア人と、特殊な能力を持つ4つの種族の代表で構成される。ここではゼルダ姫とリンクをのぞいた、四神獣の操り手を任された異種族の代表者4名の英傑を取り上げる。

▶ **英傑 検討稿** 初期に考案された英傑たちの検討稿。あらかじめおおまかなキャラクター設定があり、そこから各種族の基本となる一般民をもとに、個々のデザインが考案・作成されていった。また、種族別の武器イメージでは、リト族の代わりに『時のオカリナ』で登場したコキリ族に似た人物が描かれている

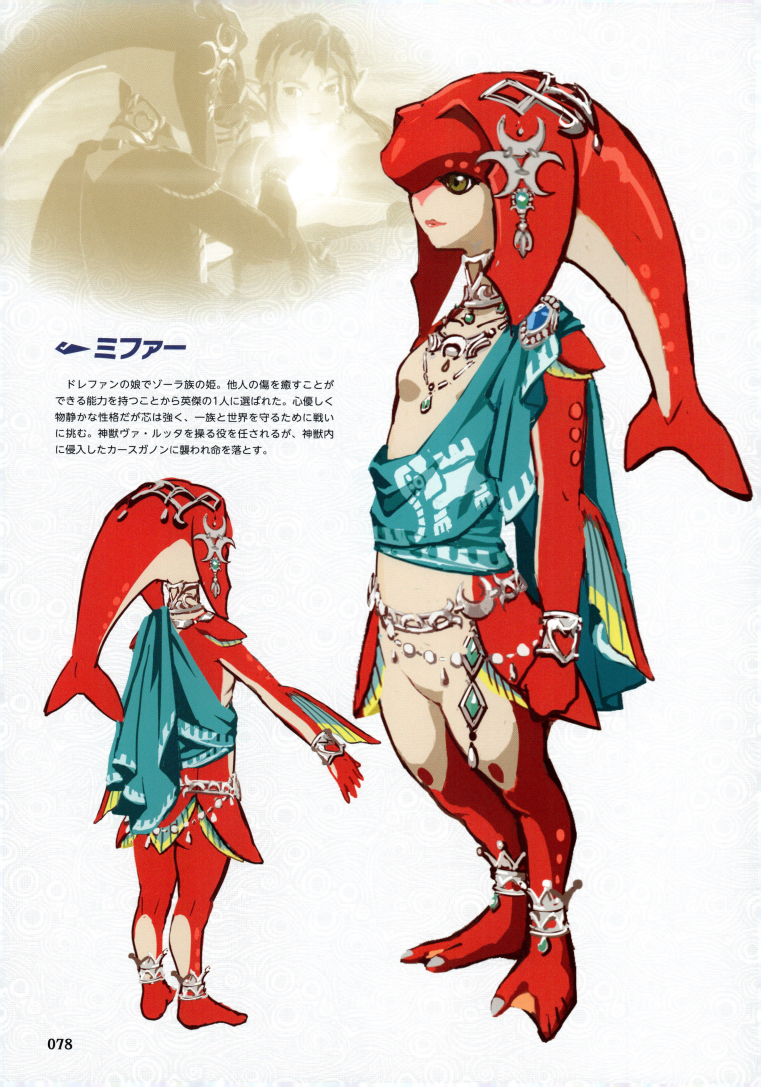

ミファー

ドレファンの娘でゾーラ族の姫。他人の傷を癒すことができる能力を持つことから英傑の1人に選ばれた。心優しく物静かな性格だが芯は強く、一族と世界を守るために戦いに挑む。神獣ヴァ・ルッタを操る役を任されるが、神獣内に侵入したカースガノンに襲われ命を落とす。

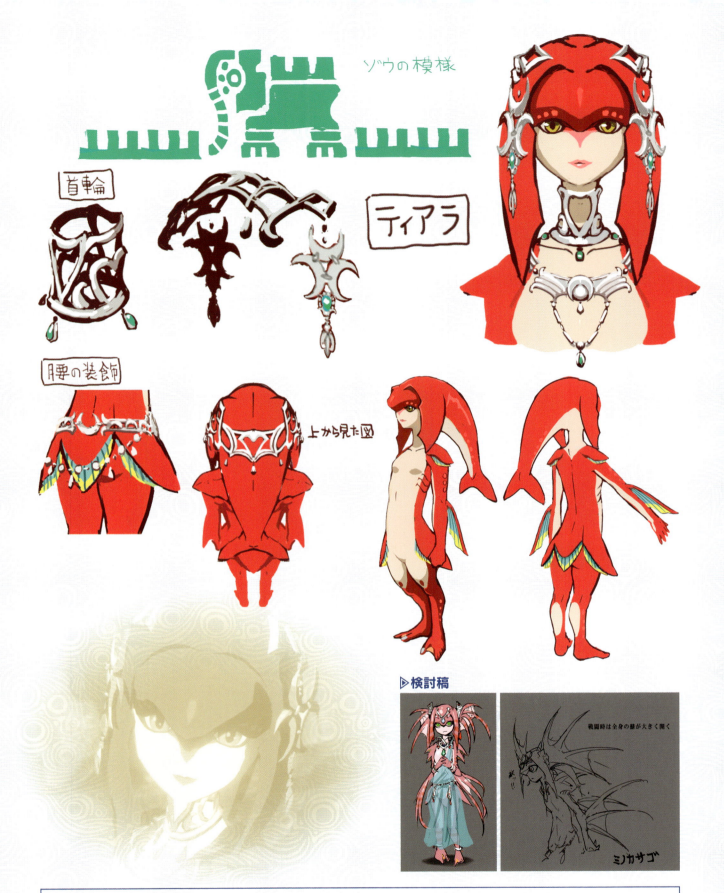

DESIGNER'S NOTE

ゼルダ姫とは異なる「リンクとの関係性」を持つ女性キャラクターにしたかったので、「封印の力を使えないゼルダ姫」の対極に位置する存在であり、幼いころのリンクを知っている人物として検討しました。その結果、リンクとの関係性がだいぶ濃すぎることになりまして…バランスを考えて大人しい性格にしています。ゾーラ族がハイリア人と比べ長寿という設定なので、リンクとの年齢差の逆転をより情緒的に感じていただきたいという狙いもありました。
【Cinematic Design　森 直樹】

イルカをデザインモチーフとしていますが、検討時にはリュウグウノツカイ、カサゴなど複数のアイデアがありました。衣装のデザインはミファーの性格を反映した「儚い少女」といったたたずまいを、ゾーラ族ならではの繊細な意匠の装飾品とともに表現しています。
【Lead Artist：NPC　篠田 博仁】

▶ ダルケル

あらゆる衝撃を防ぐ"護り"の力を有するゴロン族。その力を買われ英傑に選出される。見た目はいかついが人情に厚く器の大きい性格で、リンクを相棒と呼んでその実力を認めている。神獣ヴァ・ルーダニアを任されるが、神獣内に侵入したカースガノンに襲われ、そのまま命を落とす。

▶ 検討稿

DESIGNER'S NOTE

『時のオカリナ』に登場するダルニアを想わせる人物です。ダルケルがリンクを「相棒」と呼ぶのは、ダルニアが主人公を「キョーダイ」と呼んでいたことへのリスペクトです。ゴロン族の単純な面と、年長者として英傑たちの精神的リーダーの面を併せ持つキャラとして設定しました。
【Cinematic Design　森 直樹】

頼れるオジサン！　と思えるようにしました。ところどころに生えている体毛を鎧に見立てています。身体のフォルムにはこだわっていて、単に太っているわけではない筋肉質でかっこいい形にしています。
【Lead Artist：NPC　篠田 博仁】

後毛消し

- 一般よりも肩幅広く筋骨隆々
- 金剛力士像のような筋肉
- 顔が若干小さい
- 肩毛は鎧（肩パット）的

英傑　081

DESIGNER'S NOTE

英傑たちは過去作のキャラクターをもとに膨らませていますが、リーバルはほかの3人に比べても特にオリジナル性の高い人物です。リンクが周囲に認められている立ち位置なので、それに反発しているキャラがいると面白いだろうと考え性格を設定しましたが、自信にあふれ過ぎているので嫌われたまま終わらないような人物を目指しました。
【Cinematic Design　森 直樹】

リト族の基本形が決定していない状態での制作だったため、リーバルを詰めることでリト族全体を定義しました。モチーフはツバメ、キツツキなどいろいろ試しましたが、猛禽類に落ち着きました。リンクと同世代のため、ライバル視して素直になれない性格を強調できるようデザインも試行錯誤しました。
【Lead Artist：NPC　篠田 博仁】

英傑　083

ウルボザ

雷を操る能力を持ち、高い能力を買われて英傑に選出されたゲルド族。ゲルドの戦士らしく凛とした言動の中にも、周囲に細かな気配りのできる姉御肌な面も持つ。神獣ヴァ・ナボリスを操るが、侵入したカースガノンに襲われて帰らぬ人となった。

- 一般ゲルド族よりもより女性らしく、母性あふれる容姿。
- 一般よりは筋量が少ない。
- 母と戦士の強さを併せ持っている。

▶検討稿

Designer's Note

ゼルダ姫が過去の記憶において追い込まれているので、彼女を助ける精神的母親の役割を担ってもらった人物がウルボザです。優しいだけではなく、からかい上手な余裕のある一面も盛り込みました。またゲルド族は過去作においてシリーズ通しての仇敵を生み出した一族なので、その責任を感じている族長としてのウルボザを描くことで作品世界の広がりを意識しました。DLCではダルケル同様、本編で見せなかった一面が描かれています。　【Cinematic Design　森 直樹】

肝っ玉母ちゃん感とゲルド族長ならではの強靭な美しさを表現しています。衣装のデザインは一般ゲルド人たちの憧れの存在と言えるように、特に慎重に検討しました。
【Lead Artist：NPC　篠田 博仁】

BACKGROUND
英傑

それぞれの力と想いを
リンクに託し援護する

リンクがそれぞれの神獣に入りカースガノンを討ち倒すと、内部に囚われていた英傑たちの魂は解放され、その想いを語るとともに再び神獣を稼働させることになる。その際、それぞれが持っていた能力をリンクに託し、以降リンクは"英傑の加護"としてそれらの能力を発動できるようになる。

1 癒しの力により致命傷から術者を守る「ミファーの祈り」　2 あらゆる攻撃を防ぎ弾き返す盾となる「ダルケルの護り」　3 任意の場所で一定時間上昇気流を発生させる「リーバルの猛り（リーバルトルネード）」　4 周囲に雷を落とし敵を殲滅する「ウルボザの怒り」

英傑たちが用いた
愛用の武具と残された逸話

それぞれの種族で名を残した英傑たちだが、彼らが愛用した武具も後世へ受け継がれ、一族の宝として丁重に保管されている。
それぞれの武具には英傑たちにまつわる逸話が語り継がれているほか、どの武具も優れた性能を有している。

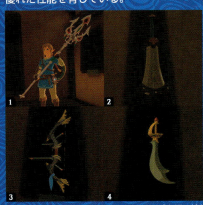

1 槍術の実力も高かったというミファーの「光鱗の槍」は彼女の生誕の際の祝いの品として贈られたもの　2 岩をも砕く強度と重量を誇る「巨岩砕き」。ダルケルはこれを団扇代わりにしていたという　3 威力の高い「オオワシの弓」はリト族の中でもリーバルにしか扱えなかった　4 ウルボザが愛用した「七宝のナイフ」。それを振るう姿は華麗な踊りのようであったという

各地で逞しく生きる ハイリア人

　かつてハイラル全土に集落を築き繁栄していた、世界でも中心的な存在の種族。リンクとゼルダ姫もハイリア人である。とがった耳が特徴であり、王家の者たちは女神の血を引くという伝承もある。100年前の大厄災での襲撃により王都や集落が崩壊し存亡の危機に陥るが、ゼルダ姫などの活躍により難を逃れた人々の子孫たちが各地に生き残っている。

老人

　リンクが眠りから覚めて最初に出会う人物で、陸の孤島である始まりの台地に暮らす唯一の人間。記憶のないリンクに祠の捜索を依頼し、荒廃した世界で生き残るための知恵を授ける。

ハイラル王

本名は「ローム・ボスフォレームス・ハイラル」。滅亡したハイラル王国の最後の王であり、ゼルダ姫の父親。死後魂のみの存在となるが、王国滅亡の真実を伝えるため「老人」としての仮の姿をとり、リンクが目覚めるのを待ち続けていた。

Designer's Note

ハイリア人はごく普通の人たちなので、衣装は安定感があり落ち着いた雰囲気にしています。実はハイリア人とシーカー族は専用のツールで「顔」を多様に表現できるようになっており、開発中は日に日に顔が変わっていき、開発初期と終盤ではまったくの別人と言っていいくらい顔が変わったキャラクターもいました。個人的には、開発終盤に作った鳥人間チャレンジのブーツがお気に入りです。
【NPC Art 平岡 学】

ハイラル王は、何も知らないリンク＝プレイヤーのための案内役として開発当初から始まりの台地にいました。小国の聡明な王様がコンセプトで、世を忍ぶ姿と、王として君臨する姿は対極的に感じられるようにデザインしました。サクラダ（P.090）は当初ガッチリ体型でしたが、徐々にスリムになり今のデザインに落ち着きました。
【Lead Artist：NPC 篠田 博仁】

テリー

　馬宿を拠点に、巨大な荷物を背負ってハイラル各地を渡り歩く行商人。灼熱の地も極寒の地でもまったく同じ服装で過ごしているが、取り扱う品物はその土地に必要なものを提供している。なぜかカタコトで話す。

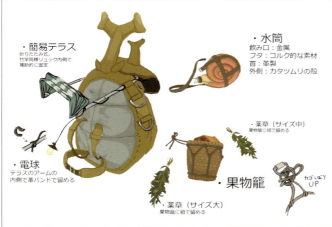

キルトン

　夜にのみ出現する気球型の移動屋台「マモノショップ」を営む男。誰よりも魔物を愛するあまり魔物風の仮装をしている変わり者。魔物素材と交換する専用通貨「マモ」と引き換えに魔物モチーフのアイテムを販売する。

サクラダファミリー

ハテノ村で建築業を営む「サクラダ工務店」の大工たち。従業員は名前の最後が「ダ」で終わる者のみ、という社是がある。棟梁兼社長兼デザイナーのサクラダと新入社員のカツラダは購入した自宅を改装してくれる。エノキダは新たな村を作るため単身アッカレ地方で活動する。

▷サクラダ 検討稿

▷サクラダ

▷エノキダ

▷カツラダ

決定稿では現代の若者風の長めの髪型であったが、実際に実装される際は角刈りの短髪に変更された

染色屋

ハテノ村にて、素材を使って服をさまざまな色に染める"ハテノ染め"を行う染色屋「東風屋」を営む店主。名前はセージで「でっしぇ」が口癖。若者の染め物離れに歯止めをかけることも己の使命であると考えている。

▶検討稿

女装商人

カラカラバザールにいるハイリア人の商人。ゲルド族の民族衣装を着ており、ゲルドの街にも入ったことがあるというが、正体は男性。リンクにも同じデザインのゲルド族の衣装（淑女の服）を売ってくれる。名前はヴィヴィアンだが、本名であるかどうかは不明。

一般ハイリア人

▷ハテノ村住人

ハテノ地方の東端にあるハテノ村の住人たち。衣服は色彩ゆたかながら北欧風のイメージで統一されている。また村が寒冷地であるラネール山のふもとにあるため、ほとんどの住人が長袖を着用している

▷ウオトリー村住人

フィローネ地方の最奥地にあるウオトリー村の住人たち。ハテノ村とは対照的に、海に近く温暖な気候であるため、住人たちはみな涼しげな服装で過ごす。また女性や子供は貝殻などで作ったアクセサリーを身につけているのも特徴

アクキガイ風の貝殻で、内側は平らに削っています。

▷馬宿協会委員

馬宿を切り盛りする者たちで、特殊な形状の帽子など、遊牧民風の衣装が特徴。馬の登録や宿の受付などのメイン業務は男性が行うが、女性や子供・老人もおり、主に周辺の土地情報などを旅人たちに提供する役割を担う

▷旅人・行商人

特定の土地にとどまらず、各地を旅して生きるハイリア人たち。それぞれの旅の目的や滞在する土地に合わせて、比較的軽装の者、武器や防具を装備した重装の者など、さまざまな衣装の旅人が存在する

BACKGROUND
ハイリア人

周囲の自然環境とともに発展したハイリア人の集落

大厄災により多くの集落が壊滅し避難を余儀なくされたハイリア人たち。100年後の現代でも魔物の脅威は消えていないが、わずかに残された集落でそれぞれの土地に合った産業を発展させ生活を営んでいる。

ハテノ地方の東端に位置するハテノ村は涼しく穏やかな気候ゆえに主に農業や酪農が盛んである。各家々の裏手には大小さまざまな畑があるほか、コッコを飼育する家、水牛などを擁する牧場なども存在する。また、「ハテノ染め」と呼ばれる染色技術はハテノ村の伝統工芸のひとつである。

対してフィローネ地方のウオトリー村は海が近く、温暖な気候もあいまって漁業が発達。住人のほとんどが漁によって生計を立てて暮らす。

ハテノ村からハテノ古代研究所までの坂の中腹にある「ハテノ牧場」。数頭の牛や羊からミルクなどを産出しており、牧羊犬も活用しての飼育が行われている。しかし一時は羊が魔物にさらわれてしまう事件も起きていた

強い探求心と行動力を持つ勇気ある旅人たち

中には集落に定住せず、ハイラル各地に点在している馬宿を拠点に観光や宝探し・行商などを行いながら旅をしている旅人も存在するため、ハイラル各地の広範囲でハイリア人を目撃できる。

ハイリア人には行動力や好奇心にあふれた者が多く、他種族の集落への観光に赴いたり、行商人としてさまざまな土地で商売をしたりと、魔物の巣食う地でも強く生きる者たちが各地に存在する。また、中には道中で襲いくる魔物に武器で応戦するなど、勇気ある者もいる。

集落に定住していない旅人は各集落の宿屋や馬宿で眠りにつくが、中にはテントを張って道中で夜を過ごす者たちも

知に優れ王家を支えた一族 シーカー族

1万年前に優れた技術を有し、繁栄を極めた民族。ハイラル王家に仕え、一族の技術で対厄災ガノン用の兵器などを生み出したが、後にハイラル王から弾圧を受ける。特殊な形状の衣装など独自の文化が根づいている。見た目はハイリア人に近いが、平均して身体能力が高く、戦闘術を身につけている者も多い。また、白い頭髪も特徴である。

一般男性

▶検討稿

◁ 一般女性

マゲは男性よりも ちょっと丸い

スカート以外 男性とほぼ同じ

▷ 検討稿

・スカート状にして女性の丸みを表現。
・幽霊前提で飾り羽は枯れた感じ。

◁ 老人

◁ 子供

▷ 検討稿

096

インパ

カカリコ村に住むシーカー族たちの長であり、現代では数少ない大厄災経験者。元はハイラル城執政補佐官だったが、厄災の際に落ち延びてからはカカリコ村のまとめ役となった。ハテノ古代研究所所長のプルアの妹でもある。

パーヤ

インパの孫娘。生真面目で日々熱心に仕事に打ち込み村を誰よりも愛する優しい性格だが、恥ずかしがり屋で若い男性に免疫がない。名前の由来は生まれつきお尻にパパイヤに似た形の痣があったことから。

シーカー族 099

▶ プルア

　古代遺物研究の第一人者であり、ハテノ古代研究所の所長でインパの姉。現在生存するシーカー族の中でも最も高齢であるが、古代技術による若返り実験を行ったことで見た目や感性が8歳の少女になった。幼くなったことを楽しんでいる節があり、見た目に合わせて幼げな言動をしたり「チェッキー！」とポーズを決めたりしている。

▶ 検討稿

まずは先行してロベリーのデザインができ、そこから「魔法少女」をコンセプトにさまざまなデザイン案が練られた。現在は明るいイメージの強いプルアだが、デザイン当時は「けだるい感じ」など、正反対の設定のものもあった

ロベリー

アッカレ古代研究所の所長で、ガーディアンや古代兵器の研究をしている老人。外来語交じりのバラエティに富んだ独特な言い回しが特徴。高い技術力を持ち、主に古代兵装などの戦闘面からリンクをサポートする。

↑背中の謎機械

▶検討稿

DESIGNER'S NOTE

　世を忍んで隠れ里に住んでいるというシーカー族のコンセプトから、一目で普通でない異様な雰囲気を醸すために衣装に「和」のテイストを大きく取り入れました。パーヤ（P.099）は幼い少女という初期コンセプトでしたが、リンクと同年代の女性があまりにもこの世界にいない…という理由から、18～20歳くらいを意識したデザインに変更した経緯があります。そして、1万年もの間「祠」の中で勇者の来訪を待ち続けた即身仏「導師」（P.102）は、その数120人という設定に対して、笠や装飾品の付け方、坐しているポーズをさまざまに工夫することで、印象の異なるキャラクター性を表現することにチャレンジしました。同族としてイーガ団（P.102）が存在しますが、「フィールドでリンクを襲う刺客の仕様」が検討されていた際に「人がリンクを襲う理由」を考えた結果、「ハイラル王家を憎んで裏切った一部のシーカー族」という設定と、彼らの復讐劇とを結びつけると面白いのでは？というアイデアから膨らんでいったキャラクターたちです。
【Lead Artist：NPC　篠田 博仁】

　ロベリーは「伝統ある村を飛び出し研究する、ロックな反骨精神を持った頑固で変わり者のマッドサイエンティスト」のイメージです。初期の西洋風のイメージから、出来上がったシーカー族の設定に合わせて最終的に和風+古代遺物で身を包んだ、現在のデザインになりました。
【NPC Art　宮川 優子】

▶検討稿

BACKGROUND
シーカー族

現代にも受け継がれし優れた技術力と勇者の伝承

1万年前、王家による弾圧をきっかけに優れた技術を捨てたシーカー族。しかし完全にその技術が失われたわけではない。

古代研究以外に、カカリコ村の住人たちの衣服にもその技術の一端が使われており、雨や落雷にも強い特注品であるという。それゆえ、雨が降っても通常通り活動している村人も存在する。

また、族長であるインパの一族には、勇者の伝承も残されている。代々家宝として受け継がれてきた宝珠には、「この宝珠に認められし者 古の加護をうけん」との言い伝えが残されていた。事実、宝珠は試練の祠の鍵であり、シーカー族が当時から勇者と深い関わりを持っていたことがわかる。

1 門番の話によると、特注品である民族衣装は雨風をしのぎ雷で怪我を負うこともなく、濡れていても快適だという **2** 村に伝わる宝珠は族長の跡継ぎでもあるパーヤが管理していた。また彼女は村に残された伝承を調べ、宝珠が祠を開く鍵であることも突き止めた

ゼルダ姫に恋をしたシーカー族の宮廷詩人

100年前、古代研究とは違う形で王家に関わったシーカー族がいた。彼は宮廷詩人として仕え、ゼルダ姫とも歳が近い若者であったとされる。大厄災の際に真っ先に故郷へと逃れた宮廷詩人は、その道中でゼルダ姫と彼女を護り力尽きた近衛騎士を目撃。大厄災の後、彼はハイラル中を旅して各地に残された「古の勇者の詩」を研究し、死期が迫った際には弟子であるリト族のカッシーワに、いつか目覚める勇者へそれを伝える役目を託したという。カッシーワは、彼は姫とともに遺跡調査に向かったこともあり、そうした交流を通じて姫に身分違いの恋情を抱いていた、と語っている。

▶コーガ様

現在のイーガ団をまとめる総長。しかし勇者の探索は部下たちに任せきりで、自身はアジトで寝てばかりいる。口数少ない団員とは反対によくしゃべり、少々言動が子供っぽいが、団員たちには慕われている

水源を守護する水の民 ゾーラ族

　清水の豊富なラネール地方を中心に暮らす水生種族。魚に似たヒレや個々で異なるさまざまな色のウロコを有する。水中での活動に長ける反面、電気には弱い。一族で独自に王政を敷き、代々王族が一族をまとめる長の座を受け継ぐ。他種族に比べて成長速度がかなり遅く、非常に長命な種族である。それゆえ、100年前の大厄災を経験している者も多い。

▶ 一般男性

▶検討稿

🡐 老人

🡐 大臣 ムズリ

100年前から王家に仕える大臣で、ミファーの教育係を務めた。大厄災でミファーを失ったことにより、ハイリア人を嫌悪するようになった。

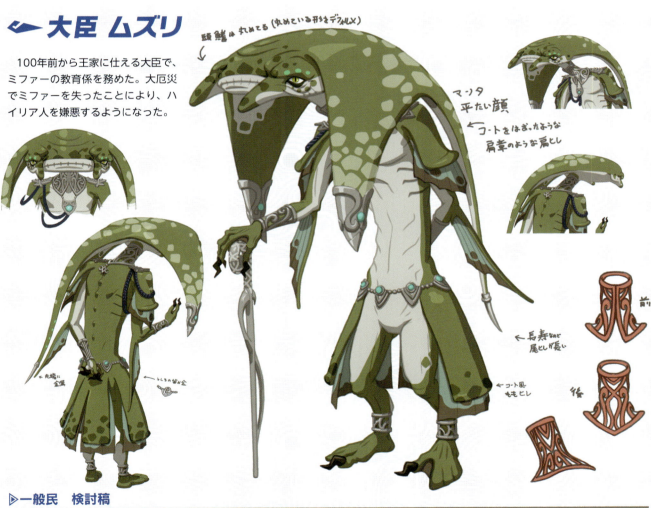

▷ 一般民 検討稿

DESIGNER'S NOTE

　ゾーラ族は過去作を踏襲しつつ、よりかっこよく！ がコンセプトです。魚類に限定せず、イルカなどの哺乳類もモチーフとしました。また、今作ではリンクを知っている存在とするために長命の種族となりました。種族のバリエーションに膨らみを持たせるため、1色だけでなくさまざまな色のゾーラ族を作成しています。各種族の族長の中で一番最後にデザインしたのがドレファン王（P.110）だったので、他の族長とイメージがかぶらない特徴的なフォルムを心掛けました。海の王様は鯨だろうというストレートな理由からの鯨モチーフです。　【Lead Artist：NPC　篠田 博仁】

　シドは他のゾーラ族よりも体格が良く熱血で、凛々しく力強い存在にしたいとのオーダーでシュモクザメをモチーフにしたところ、いつの間にかゲーム内に親衛隊ができていました。衣装も王子らしさや軍服の意匠を取り入れ、胸元のホイッスルは統率を取る際に使うものと思われます。シドは開発終盤まで灰色でしたが、ゲーム画面での視認性と、姉であるミファーとの近似性を高めるため最終的に赤になりました。
【NPC Art　宮川 優子】

▶検討稿

▷検討稿

BACKGROUND
ゾーラ族

　ゾーラ族は水中での活動を得意としており、特に優れた運動能力を持つ者はハイリア人を乗せて泳ぐことも可能。半面、電気に弱いため電気の矢には触れることも難しい。睡眠時は里内にある深くて巨大なプールに浸かって眠りにつく。プールは全住民間で共用のため、個々の住宅は存在しない。

長命ゆえにもたらされた
リンクとの再会と和解

　ゾーラ族は非常に長命であり、里の大人のほとんどが100歳を超えている。幼少期によく里を訪れていたリンクと友人であったゾーラ族が現代では人間でいう中年程度の歳になっているように、シドも姉のミファーが生きていた100年前にはすでに生まれていたが、幼すぎたためかリンクの顔は覚えておらず、現代で出会った当初もリンク本人であるとわからなかった。
　大厄災当時から大人であった老人たちはミファーが亡くなった原因の一端であるリンクを恨んでいたが、里の危機を救ったことで和解にいたった。
　100歳を超える者は言葉の語尾に「ゾラ」を付けるが、大厄災時に幼かった者や未経験者は「ゾラ」を付けない傾向にある。

美しき里を支える
石工技術

　ラネール大水源は鉱石が豊富であったため、石造りの建築に端を発した石造・石工技術が発達。やがて建築だけでなく、装備や装飾品を製造する彫金技術としても発展した。里周辺の警備にあたる者は頭部や胸部などを守る防具を着用し、一般の者や王族は首輪などの装飾品を身につけている。英傑ミファーが愛用した光鱗の槍も、里の彫金職人による作品である。

岩のような大きな体躯 ゴロン族

デスマウンテンの山腹に集落を構える、岩石のような強固で巨大な体を持つ種族。溶岩の強烈な熱にも強く体格に見合った怪力を誇るが、内面的にはのんびりとした性格の者が多い。大きな手と腕で体を丸め、転がって移動するのが得意。また、大人は語尾には「ゴロ」と付けて話すが、成長途中の子供は「コロ」と付ける。

✈ 一般

▷ 検討稿

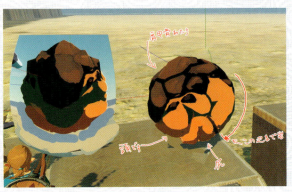

ブルドー

ゴロンシティの発展を支える「採掘会社ゴロン組」の組長であり、ゴロン族の族長。べらんめえ口調で気は短いが義理人情に厚い。火山弾を素手で吹き飛ばすほどの剛腕の持ち主だが、持病の腰痛に悩まされている。

後頭部

指輪

ゴロン族　115

🔹 ユン坊

英傑ダルケルの子孫。体格は大人のそれと変わりないが精神的にはまだ成長段階であり、魔物にもすぐにおびえてしまうほど臆病。しかし里や仲間を思う気持ちは強く、勇気を振り絞ってリンクとともに神獣を鎮めるために戦った。なんでもすぐに信じてしまう純粋で素直な性格でもある。

DESIGNER'S NOTE

開発初期はゴロン族を過去作とはガラッと変えてみようとしました。頭身を大きく変えたり、より人間的にしたりなど、さまざまな案を検討しましたがピタッとイメージに合うものがなかったので、原点に立ちかえり『時のオカリナ』のゴロン族の印象を大切にしてゴロン族の決定版を作ろう！と方針を決定しました。近作ではタトゥーを施しているイメージがあるゴロン族ですが、アニメ調の今作では「間を埋める」デザインよりも「間を生かす」デザインにするべきと考え、装飾をあまりしないデザインにしました。体型は単に丸くするのではなく、相撲の力士のように脂肪を蓄えていながらも筋肉があり、たくましさを感じられるようにこだわったので3Dモデルをじっくり観賞していただきたいです。ユン坊は最初、ダルケルとのつながりを感じさせるために肉体、髪型もすべて同じにしました。しかしながら、おじいちゃんに見えると意見が多数あったため、より幼くよりかわいく感じられるように、一度デザインを大きく変更しています。性格が臆病なのに身体がムキムキなのは、身体が強く潜在能力が高いのに弱々しいという大きなギャップが生まれて魅力的なキャラクターになるのでは？ ということから提案したものです。

【Lead Artist：NPC　篠田 博仁】

▶検討稿

ご先祖よりも結び目は小さい

無

哀

BACKGROUND
ゴロン族

ゴロン族は火山周辺などで採れる岩石を食糧とし、硬い岩を噛み砕く強靭なあごと歯を持つ。また、岩であっても食用に適したものと適さないものがあり、特に限られた場所でのみ採れるロース岩は美味で高質な食材であるという。いっぽうで宝石類は味が悪く、以前はゴロン族の中では不用品として扱われていた。

鉱石と宝石の採掘業で
大きく発展したゴロンの集落

ゴロンシティに住むゴロン族の多くは、火山近郊の鉱石の採掘・売買を生業とする「採掘会社ゴロン組」に所属している。現族長のブルドーは、火山周辺で豊富に採掘できるものの不用品とされてきた宝石類が、他種族では高価で取引されていることに着目。宝石を他種族に売却する事業を開拓し、ゴロン族の一大産業にまで発展させた。その収益によってゴロンシティの経済は潤い、現在の活気ある町へと成長を遂げている。

世界中を旅する
ゴロン族

頑丈な体を持つゴロン族は、世界中のさまざまな厳しい自然環境にも順応できる。そのため、旅して暮らす者も多く、世界各地の集落や道中でその姿を目撃できる。水辺が多く足場の悪い山道を越える必要のあるゾーラの里や、女性しか入れないゲルドの街を訪れる者もおり、ハイリア人に並んで活動範囲の広い種族である。

華麗に舞う空の支配者 リト族

積雪地帯にほど近い、タバンタ辺境に集落を構える少数部族。色鮮やかな羽毛にクチバシや鉤爪の付いた足など、鳥類に似た身体的特徴を持ち、両腕の翼で空中を自在に飛行できる。男は弓、女は歌に秀でているとされ、特にリト族の戦士は高い飛行能力を武器に空中戦では無敵を誇っていたことから「空の支配者」とも称される。

一般男性

▶検討稿

ハーツ

家業の弓職人を継いだ青年。リーバルが愛用していたオオワシの弓の修理法を受け継いでいる。元はリトの戦士であり、テバとは悪友である。

カーン

リト族をまとめる族長。村に伝わる伝承や100年前の英傑たちについて詳しい。リンクを英傑の末裔だと思い、テバの制止と神獣の鎮静を依頼する。

リト族　121

テバ

リトの戦士で「飛ぶことに関して右に出る者はいない」と称されるほどの実力者。戦士であることに誇りを持つがゆえに無鉄砲で喧嘩っ早く、親友のために1人で神獣に挑もうとしていた。実力のある者を素直に認める男らしさも持つ。また息子のチューリを立派な戦士にするため訓練をしているが、妻のサキには反対されている。

DESIGNER'S NOTE

過去作である『風のタクト』に登場した人型っぽい見た目のリト族からガラリとデザインが変わったのは、種族間の特徴を際立たせるために鳥らしいシルエットをより強調したかったということが一番の理由です。猛禽類を主として、凛とした気高さとたたずまいを表現してみました。テバは鷹をイメージしていて鷹同様の茶色い身体でしたが、里一番の戦士ということを強調するため、ほかのリト族にいない白色にしました。カッシーワ（P.124）はルリコンゴウインコをモチーフに、衣装は中世ヨーロッパの貴族を参考にちょっと気取った鳥としています。当初からアコーディオンかバンドネオンのどちらかを持つことは決定していましたが、手が翼状で非常に大きいため、予定通りちゃんと持てるのか、モデルが上がってくるまで不安でしかたがなかったです。彼の鳩胸は度が過ぎるのでアニメーターは苦労しただろうと思います。

【Lead Artist：NPC　篠田 博仁】

カッシーワ

　ハイラル中のさまざまな地に関する「古の勇者の詩」を求め旅する吟遊詩人。100年前に王家に仕えた宮廷詩人を師に持ち、1万年前に起こったとされる勇者らと厄災との戦いを歌として語り継いでいる。師と交わした「古の勇者の詩」のすべてを勇者に伝える、という約束を果たすため、故郷のリトの村を離れ1人世界中を飛び回っている。5人姉妹の父親。

▶ 検討稿

閉じた時にロックするためのもの。

BACKGROUND
リト族

鳥類とハイリア人の特徴を併せ持つ種族であり、例えば夜間や薄暗い場所では視界が効きづらくなるなど、一部の鳥類と同じ体質を持つ。食に関しても同様で、猛禽類のように肉や魚を好んで食すが、よろず屋ではバターなどの加工品も扱われていたり、ハイリア人でも食べられる料理のレシピがあったりと、ハイリア人に似た部分もある。

保温に優れた羽毛を持ち
羽毛を活用して暮らす

リト族の最も優れた特徴のひとつが、全身を覆う鮮やかな羽毛。寒冷地に住むリト族の羽毛は保温性に優れており、寒さの厳しい上空での飛行を可能にしている。特に赤ん坊の羽毛は年に一度季節の変わり目に生え変わり、抜け落ちた羽は加工されハイリア人向けの防寒着として再利用されている。その他にも宿屋ではリト族の織毛をベッドに使用するなど、自らの羽を加工する織物業が発展している。

さらにもとから個々に色の異なる羽毛を持つためか色彩感覚も非常に豊かであり、村で見られる調度品や布類はどれも鮮やかでカラフルな文様が目をひく。

ハイリア人にとって防寒着なしでは体力を奪われる極寒の空も、リト族なら多少凍える程度だという

リトの集落に残された
数々の"勇者のための詩"

歌に秀でているリト族の村には、歌や詩といった形で古の時代の伝承の多くが住人たちに広く受け継がれている。ソリレスとベラ姉妹から教わる古のリトの詩や、幼い5姉妹が歌う兄弟岩の歌などがそれにあたる。

また、その歌の内容の多くは試練の祠の在り処やその入口を示しており、ハイリア人の"勇者"のための詩である。

砂漠の気高き女系民族 ゲルド族

ゲルド砂漠に集落を構える女性だけの種族にして、砂漠の知識に長けるエキスパート。褐色の肌に鮮やかな赤い髪が特徴。ハイリア人女性と比べると身長が高く筋肉質な体格で、鍛え上げた戦士ともなれば並みの男性では歯が立たないほど。また独自の民族用語を用いるなど、砂漠に住む閉鎖社会であるがゆえに独特の文化・風習が根付いている。

▶ 一般

▷ 検討稿

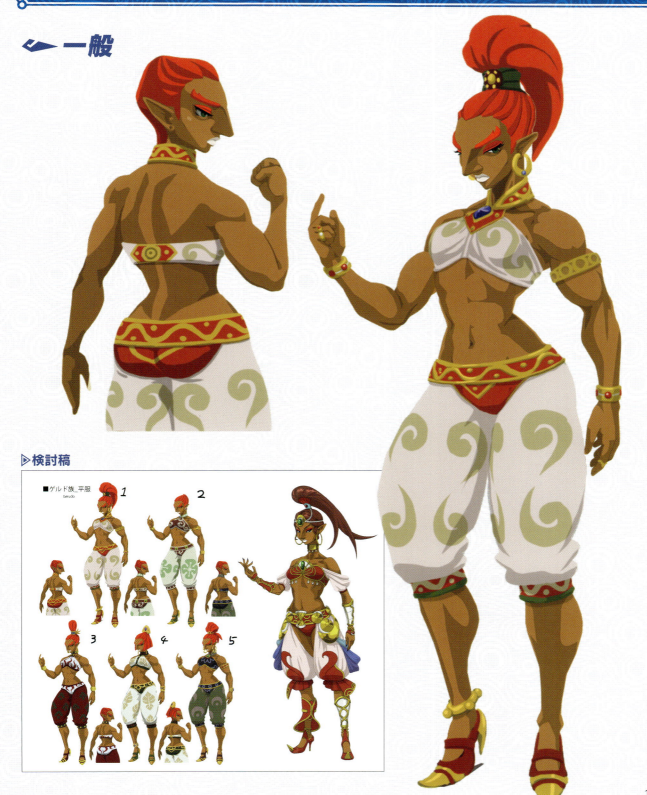

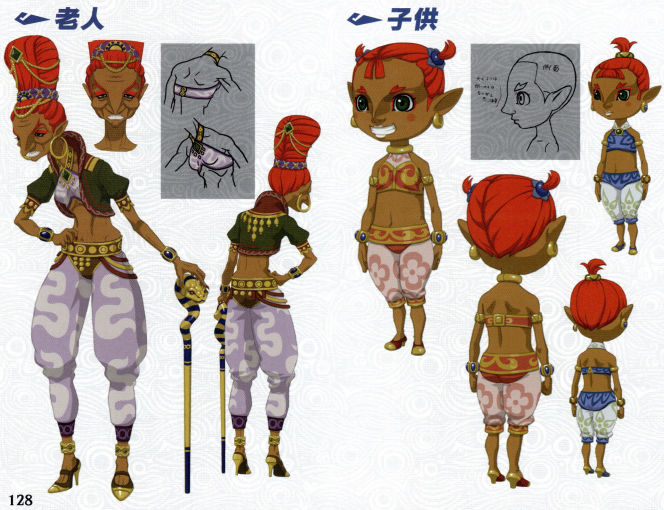

◀ レンタザラシ屋

砂漠での移動手段として家畜化した「スナザラシ」をレンタルしてくれる店の主人たち。スナザラシの乗り方もレクチャーしてくれる。ゲルドの街の裏口にそれぞれ店があり、西口を母親のコーム、東口を娘のフラジィが切り盛りしている。

▷東口店 店主　　　　　　　　▷西口店 店主

スナザラシマーク(仮)

ゲルド族　129

ルージュ

前族長であった母親が亡くなり、幼くして族長の座を受け継いだ少女。その言動は大人そのもので、誰よりもゲルド族の安寧を願い、危険も顧みず自ら行動する。

ゲルドマーク

部屋に置いてあるとか

ダサイアップリケとか？

スナザラシ柄
(もっとユルイ方がいいか？)

雷鳴の兜を装着した姿。雷鳴の兜は大人用のためルージュにはサイズが合わず、よくズリ落ちては直す様子がゲーム中でも描かれている

大きすぎてズレる

DESIGNER'S NOTE

　ゲルド族は過去作の特徴を残しつつ「立ち姿の美しさ」を第一に、身体のそれぞれの部位を特徴づけ、胴はより短く、脚はより長く、といったようにデザインしました。また、これまであまり見られなかった仏像などの意匠を取り入れ、結果的にインドや中国文化の影響が見られるようになり、今作ならではのものになったと思います。

【Lead Artist：NPC　篠田 博仁】

　ルージュは他種族の族長たちとのバランスを考え、バリエーションとしての幅と設定上のインパクトを理由に子供になりました。先祖であるウルボザを尊敬しており、装飾品の一部は彼女の遺品です。12歳前後の設定ですが、ゲルド族はハイリア人よりも発育が良いため大人びた印象にしています。族長として品格のある振る舞いを心がけながらも年相応の少女らしさも持たせたいと思い、スナザラシが大好きで部屋にグッズを集めていたり、スカートの柄にもその片鱗が見えるようにしました。

【NPC Art　宮川 優子】

ゲルド族　131

ビューラ

王宮に仕えるすべてのゲルド兵士をまとめる歴戦の戦士であり、幼くして長となったルージュの良き理解者。規律に厳しいが、条件を付けつつも男であるリンクを受け入れる柔軟さも持ち合わせる。街一番の槍の使い手で、ゲルド族の兵士たちの憧れの存在。

兵士

街を護るゲルドの戦士たち。厳しい訓練を行い高い戦闘能力を持つが、どこか抜けている者が多い。

スナザラシラリー主催者

本名はシャボンヌ。ゲルドの街の近隣で開催している、ゲルド族の伝統スポーツ「スナザラシラリー」を取り仕切る主催者であり、またチャンピオンのパフューの師匠でもある。

全フレーム
ティアドロップ
サングラス

スナザラシ
マーク

スナザラシラリー チャンピオン

本名はパフューで、スナザラシラリーの最高記録を持つチャンピオン。あまりしゃべらず無口だが、レースに関しては熱い情熱を内に秘めている。スナザラシラリーの走りでその人の人となりを見抜けるほどの実力の持ち主。

ズボンもよう

BACKGROUND
ゲルド族

ゲルド語に代表される独自の文化と信仰

ゲルド族は宗教観においても他の種族とは一線を画す。一族の間では「7人の英雄」が守り神として信仰されており、ゲルド砂漠にある東ゲルド遺跡（P.319）には7体の剣を携えた人物の巨像が残されている。ゲルド族の考古学者によると、英雄たちは1つの大きな力を「心・技・耐・知・飛・動・柔」の7つに分け、それぞれが各々の力を担っていたとされる。

いっぽうハイラル全土で信仰されている女神ハイリアはほとんど知られておらず、女神像は裏路地の片隅に無造作に放置されている。

男子禁制の言い伝えと婿探しの旅「ヴォーイ・ハント」

一族には古くから「未成年のゲルド女性が男性と交流を持つと災いが訪れる」という言い伝えがあり、ゲルドの街は男子禁制。そのため、適齢期になると婿となる男性を探しに街を出る「ヴォーイ・ハント」という独特の習わしも存在し、各地でヴォーイ・ハント中のゲルド族を目撃することができる。また、ゲルドの街で露店を開いているゲルド族のほとんどが、出稼ぎのために街へと戻ってきた既婚者だという。

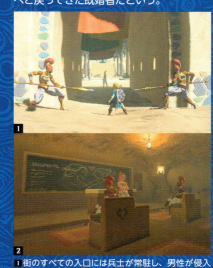

1 街のすべての入口には兵士が常駐し、男性が侵入することがないように警戒している　2 ヴォーイ・ハントを控えたゲルド族が外界で男性を射止められるよう、街には恋愛教室や料理教室が設けられている

ハイラルに住む 各地の妖精たち

人間や亜人種などとは異なる、超自然的な存在の者たち。本項ではその中でも、人語を解し意思疎通の可能な者たちを取り上げる。

妖精たちはそれぞれ特殊な力を有し、勇者の冒険をサポートする。一般の人間は彼らを目視できないが、噂や逸話という形で彼らを認知し、信仰している者たちもいる。

← マーロン

ハイラルに住まう馬たちの神であり、フィローネ地方にある泉に住む。見た目は恐ろし気だが馬を大切にしている者ならば危害を加えることはなく、冗談を言うお茶目な面も。長らく力を失っていてつぼみの中におり、復活させるとお礼に死んでしまった所有馬を蘇らせてくれる。

頭の横の紐飾り

上面図 つぎはぎの服

爪が長く、骨ばった、節くれだった手。肌は褐色。男性の手っぽく。

腕輪　指輪

首飾り
内側の部分は腕輪と同じ

毛束を紐で結んである。

正面　横　上　なるべくうすく

体の実体がなく、呪術的な力で体が構成されてるようにみせたい。骨の接続部は浮かせる。骨は人間の脊椎の形。

検討稿　基本形はおかっぱ頭を無造作にバラした イメージ。内側に顔はない。あるはずの顔が無く、空間が空いていることで不気味さも出したい。

135

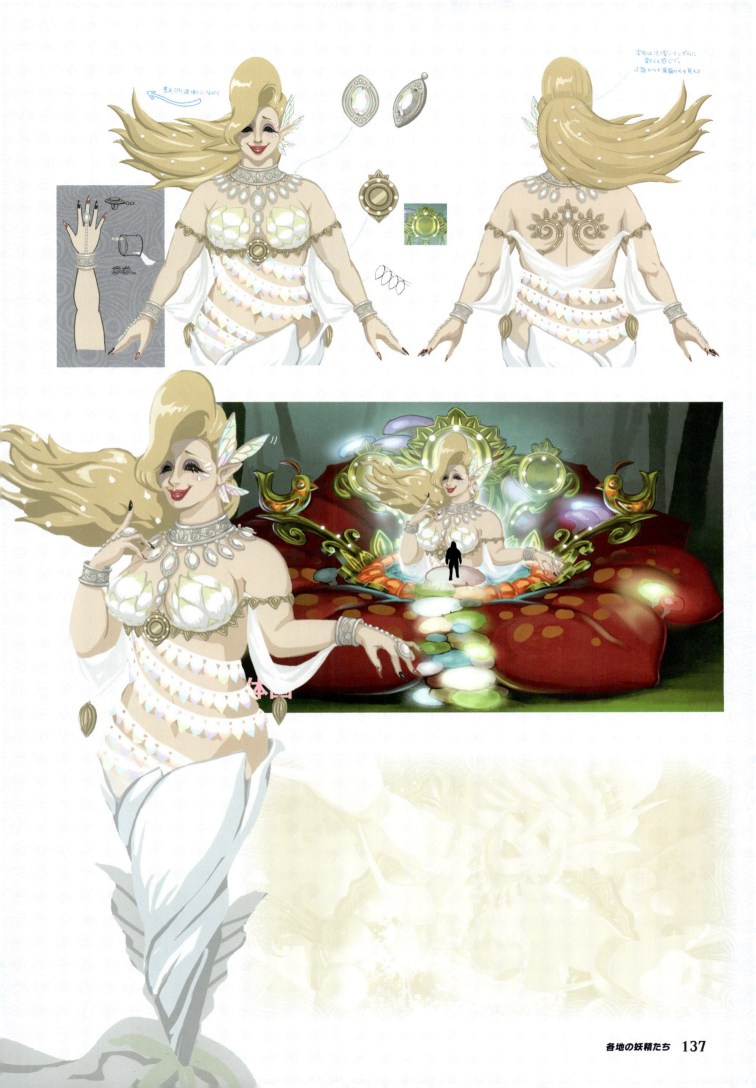

各地の妖精たち　137

◀ コログ族

木のような小さな体に、葉っぱのお面のような姿をした森の妖精。一般的に言葉遣いや振る舞いは幼い。いたずら好きで、ボックリンからマラカスの中身の「コログのミ」を持ち出し、世界各地に潜んでいる。ハイラル大森林に里があり、デクの樹サマ（P.222）とともに暮らす。

▷ ボックリン

踊ることが大好きで、巨体とは裏腹に言動は子供っぽい。コログのミを渡すと不思議な力でポーチを大きくしてくれる

▷ ボックリンのマラカス

ボックリンが2歳の時にはすでに振り回していたという愛用品。中にコログのミが入っている

▷ 検討稿

手持ちぶたさそうに葉っぱをバタバタさせている

▷ **長老** 里で暮らすコログたちのまとめ役。ハイラル大森林について詳しく、勇者のために用意した"コログのしれん"をリンクに課す

▷ **一般コログ　検討稿** 決定稿では「風のタクト」と同じ姿だが、個体ごとに異なる葉っぱの体を持つ、本作オリジナルのデザインも考案されていた

BACKGROUND
各地の妖精たち

お布施のルピーに宿る
大妖精たちへの信仰の心

　現代では大妖精たちは力を失っており、つぼみの状態になっている。彼女たちの復活に必要になるのが、ハイラル王国の通貨であるルピーだ。大妖精の一柱であるクチューラがカカリコ村の守り神とされているように、大妖精は神に近い存在であり、その力の源は人間たちからの"信仰心"だった。その信仰心の証となるのが「お布施」であり、昔は大妖精にお布施をする習慣もあったという。しかし大厄災と長い月日の経過で泉への参拝が少なくなったことで、彼女たちは力を失っていた。

勇者の来訪を待っていた
コログの森のコログたち

　コログの森には勇者の証である退魔の剣が封印されており、コログたちの親同然であるデクの樹サマが退魔の剣を見守っていた。そのため、コログの森に住むコログ族たちはハイリア人や他の種族とは異なり、勇者がいつか復活し、退魔の剣を取り戻すためにこの地を訪れることを事前に把握していた。
　森にはコログ族以外は立ち入らないため、用意された人間用の寝床や食糧をそろえる店は、すべて勇者のためのものである。また、森に伝わる祠に至るための試練も勇者のためにコログ族が考案したものである。

ハイラルの民に襲いくる脅威 魔物

大厄災に見舞われたハイラルにおいて、人々を脅かしている存在が魔物である。森や平原、山に海など、どこへ行っても魔物の姿があり、人々が利用する街道にも現れ、旅人を襲うことも珍しくない。魔物たちにもさまざまな種類がおり、姿や体型、そして暮らし方が異なる。しかし人への凶悪さは皆同じく、しかも日に日に増している。

ボコブリン

大厄災前からハイラル全域に広く生息している魔物で、徒党を組み、各地に砦ややぐらを作って生活している。凶暴で肉食だが、獣を狩るだけでなく、果物も好んで食べる。

▶ スタルボコブリン

DESIGNER'S NOTE

ボコブリンをはじめとする多くの敵で「愛嬌」のあるデザインを心がけました。プレイヤーに憎まれる不気味なデザインではなく、どこかしらに可愛さやユーモアを感じてもらえることで長時間楽しく遊んでもらえるようになってほしいという思いから「愛嬌」を盛り込みました。この考え方はデザインのみではなく、敵の行動パターンやリアクションなどにも反映されています。いびきをかきながら寝ていたり、肉を貪っていたり、雨が降ってきたら空を見上げる、など細かな部分で飽きがこないように工夫してみました。 【Lead Artist：Enemy　木内 崇文】

モリブリン

ボコブリンとともに行動していることも多い種族で、ボコブリンより大きい重量級。バクダンでも吹き飛ばない強靭な体を持つ。

▷ スタルモリブリン

リザルフォス

とても俊敏なトカゲ類の魔物。砂浜なら砂の色、雪山なら白色など、自らの体を地面の色に擬態させる。眠ることはなくじっとしており、獲物が近づくと奇襲を仕掛ける。肉食だが、虫も好んで食べる。

▷ スタルリザルフォス

ウィズローブ

大きなローブに身を包んだ魔物で、いつも空中をスキップするように歩いている。それぞれ氷、雷、炎の魔法を操り、周囲の天候さえも変えてしまう。

▷ 検討稿

143

⚔ オクタロック

タコのような姿の下級魔族。元々は水の中に住んでいたものが、いつしか森や火山などにも住み着くようになった。どのオクタも頭の上に草や宝箱が付いているが、これは擬態したもの。地面に潜って擬態した部分のみ出すことで獲物を誘い、奇襲する。

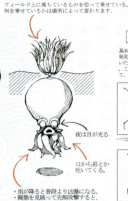
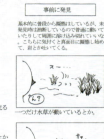
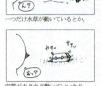
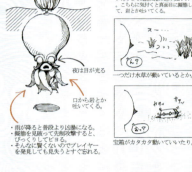

平野・森 / 川・海 / 砂漠 / 雪

平野や森の茂みなどに隠れている。頭には木の枝とかキノコとか乗せてるかも。

川や海に生息しているオクタロック。頭上に草を乗せて擬態している。時折アヒルを乗せることもあるかも。

砂漠版のオクタロック。砂漠の中を泳いでいて転がして来たりするかも。宝箱に擬態する予定。

雪山に出てくるオクタロック。雪を吐いたり、宝箱だと思って近づいたら襲われる。

▷ 検討稿

⚔ チュチュ

地面や木の上から突然姿を現す下級魔族。住んでいる地域の気候によってそのタイプも異なり、肥大化したものや破裂するもの、冷気をまき散らす種類もいる。

▷ 検討稿

⚔ キース

とても小さな体で、暗所を好むため洞窟の中などの天井にいる。夜間に少数、または集団で飛行していることも。

▷ 検討稿

ライネル

半人半獣の魔物で、遠い昔よりハイラルに生息している。立派な体躯から繰り出す攻撃は強力で、炎や氷、雷にも強い。知能もとても高く、精錬された金属製の武器・防具を装備している。

▶検討稿

イワロック

体のすべてが岩である魔物。ふだんは岩の塊に擬態している状態で、人が来ると突如動きだす。その堅い岩の体はどんな武器も歯が立たない。

ヒノックス

ハイラルに生息する魔物の中で、最大級の大きさを誇る。昼も夜も仰向けで寝ているが、敵に気づくとその巨体を起こす。近くに大木があればそれを引き抜き敵に投げつけるなど、性格は凶暴。弱点の1つである細い足に防具を装備している知恵者も存在している。

▷検討稿

▷スタルヒノックス

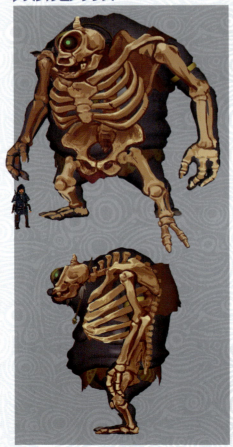

魔物　147

モルドラジーク

ゲルド地方の砂漠にいる巨大な魔物で、ハイラルに4体しか存在しない希少種でもある。巨体だが動きはとてもすばやく、砂の中を泳ぐように高速移動している。また聴力が発達しており、砂漠で動く獲物の足音を聞きとると地表へ飛び上がり、大きな口を広げて獲物を襲う。

▶検討稿

リンクとモルドラジークの大きさ対比
リンクサイズ比

BACKGROUND
魔物

　人々からすると魔物は脅威であり、生活を脅かす敵である。しかし、魔物にも魔物なりの暮らしがあり、その様子が戦闘状態ではない魔物を観察することで見られる。夜にはボコブリンがたき火を囲んで寝ていたり、その火で魚や肉を焼いていたり。複数のボコブリンが踊っていることもある。いっぽうヒノックスは昼夜問わずずっと眠りつづけ、ライネルはいつの時間も歩き続けて獲物を狩っているなど、魔物によってその生態もさまざまだ。

水の苦手なボコブリン
水の得意なリザルフォス

　ボコブリンやモリブリンなどはハイラル各地で見ることができる。寒い場所にも暑い場所にもいるため、環境への適応能力はかなり優れているが、水は苦手なようで、川を泳いで敵を追いかけるようなことはしない。しかし、リザルフォスは華麗に泳ぐ姿を見せる。

仲間への危険を
知らせる角笛

　魔物は砦などで敵を発見すると、角笛を吹いて仲間を呼ぶ。その角笛で使われている素材は魔物の種族によってさまざま。

生き物

ハイラルに暮らすさまざまな命

広大なハイラルの大地に存在するのは人間や魔物だけではない。動物や昆虫、魚などが生息し、さまざまな自然環境に合わせて数多くの種類が存在している。ハイラル各地が怨念によって汚染されているものの、その影響が少ない場所では、依然として豊かな命を育んでいるのである。それ以外にも精霊や妖精のように、神聖な生き物たちも暮らしている。

山のヌシ

中央ハイラル西部に位置するサトリ山で、特定の日の夜にのみ姿を現す精霊。人の気配に敏感で、すぐに逃げてしまう。馬宿協会では守り神として伝えられている。

▷ 検討稿

ルミー

ウサギに似た姿をした精霊。体長は山のヌシの足ほどと、ごく小さい。青白く輝き、人の気配が少ない特定の場所に出現。ルピーを好んで集める習性がある、と人々の間で言われている。

妖精

人間が生活する場所ではあまり見ることがなく、大妖精の泉など特殊な場所で多く見かける。

泉の使い

龍の姿をした精霊。オルドラは力の泉、ネルドラは知恵の泉、フロドラは勇気の泉の使いだと言われている。落とすウロコや角のかけらはとても珍しく、それを納めると幸せが訪れるという言い伝えも。「陽 沈みし時 天を舞う」という伝承が残っているものの、その姿を見た者は少なく、ネルドラに関しては1人もいない。

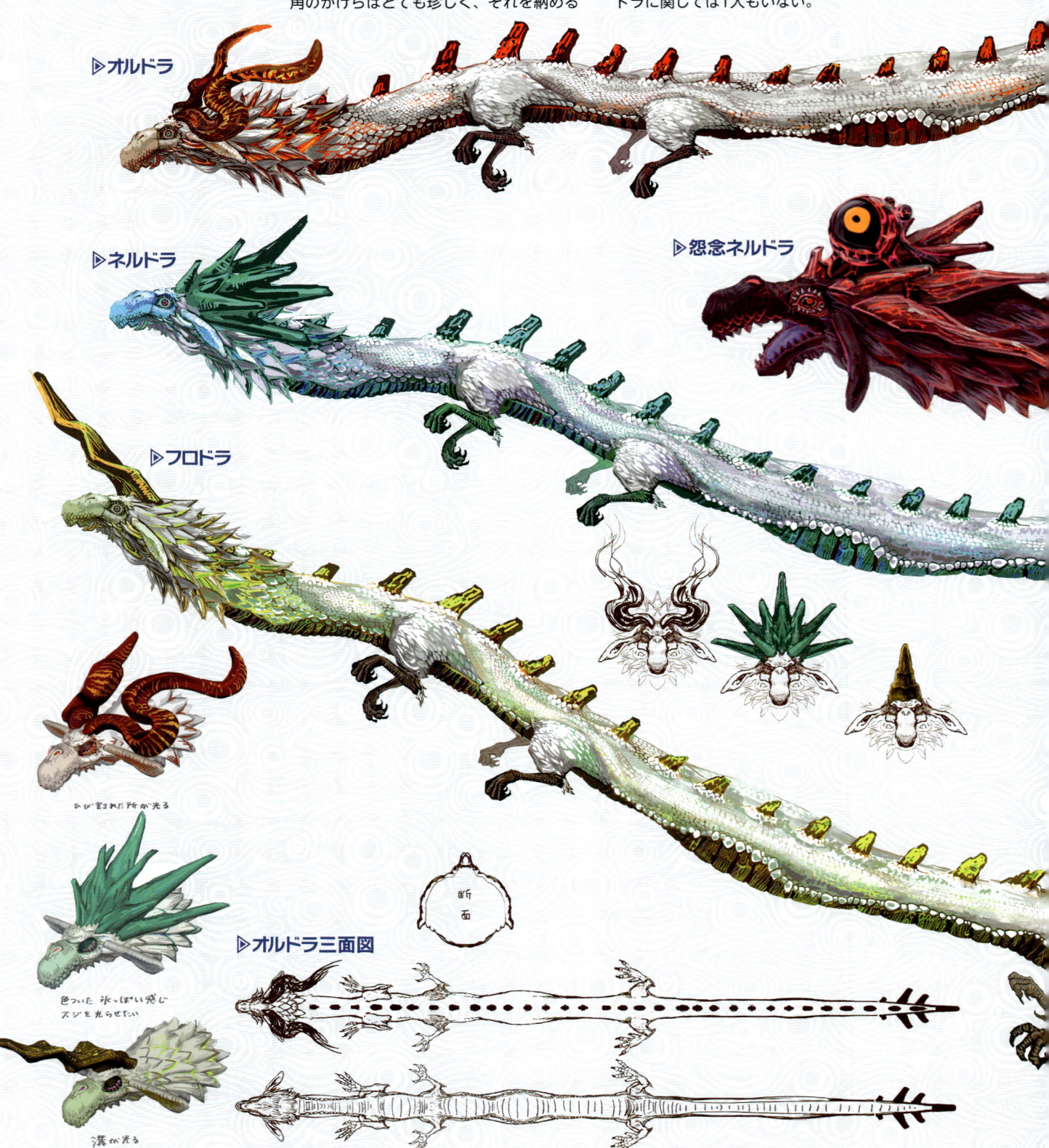

▷オルドラ

▷ネルドラ

▷怨念ネルドラ

▷フロドラ

ひび割れた所が光る

色ついた 氷っぽい感じ
スジを光らせたい

溝が光る

断面

▷オルドラ三面図

DESIGNER'S NOTE

泉の使いは「大昔からハイラルに住んでいる老龍」という設定で、神秘的で悠然と空を飛び、どことなく奇妙さを感じるデザインにしました。龍として認識できる一方で既視感のないものを模索し、顔と体は犬やヤギなどの哺乳類、腕は鳥と人の手の要素を取り入れました。大空に龍が舞う情景にロマンを感じていただけたらと思います。　【Enemy Art　臼井 聡美】

ハイラルの生き物たちには、生命力が満ちる厳しくも豊かな大地を演出する、という重要な役目がありました。愛らしさもあり、恐ろしい一面もあり、時にはおいしそうにも見えたり、出会いの数だけ顔があるようなニュートラルなデザインを目指しました。今作の特徴である美しい草原に映える色彩選びも意識しているポイントです。　【Wildlife Art　信太 文】

▶検討稿

生き物 153

馬

旅や物流におけるハイリア人たちの重要な足である。街道沿いに点在する馬宿では人々の飼い馬を管理できるなど、生活システムが確立されている。

▶ 検討稿

▶ スタルホース

馬の装備

馬具は手綱とくらで一組になっており、その馬に飼い主がいることの証しである。馬が飼い主になついていれば、さまざまな種類の馬具を付けられるようになる。

▷エポナ専用馬具(amibo)

▷マモノの馬具

▷馬宿協会の馬具

▷巨馬専用馬具

▷王家の馬具

▷ゴージャスな馬具

▷騎士の馬具

▷古代兵装の馬具(DLC第2弾)

生き物 155

◀ スナザラシ

ゲルド砂漠に生息している巨体の生き物。見た目よりおとなしい性格で、ゲルド族によって飼い慣らされ人々の移動手段として利用されている。
パトリシアちゃんはゲルドの族長ルージュのパートナーで、占いもできるという。

▷ 検討稿

▷ パトリシアちゃん

◀ ロバ

旅人や旅商人とともに街道を歩く姿が多く見られる。馬のように乗り物としてではなく、主に荷物の運搬を助けている。

▷ 検討稿

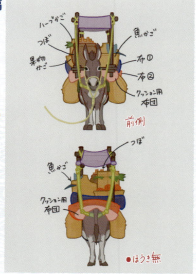

ケモノ

村から少し離れると、野生の動物たちと出会うことが多くなる。生息場所は、全地域的に見かけるもの、特定の地域に多く存在するものなどさまざま。人の姿を見て逃げ出す動物もいれば、イノシシやクマなど人に危害を及ぼすことがある凶暴な動物も。逆に犬は人によくなつき、エサをあげると喜ぶこともある。

▷ハテノウシ

▷シツゲンスイギュウ

▷ハイリア犬

▷サンゾクオオカミ

▷オタテリス

▷ハチクイグマ

▷ヤマシカ

▷セグロヤギ

▷タバンタヘラジカ

▷コウゲンヒツジ

▷キバアカイノシシ

▷オオツノサイ

▷ヘイゲンギツネ

生き物 157

🜁 水辺の生き物

湖や川、海岸などに生息する魚や魚介類などの水生生物。ハイラルの清い水に棲まうためか、それぞれに色鮮やかな体躯を持つ。魚により好きな餌が異なる。

▷マックスバス

▷マックスサーモン

▷ツルギダイ

▷シノビマス

▷ヨロイガニ

▷タニシ・サザエ

🜁 虫・小動物など

地面、木、空など、多くの場面、また多くの地域に小動物が生息している。同じトカゲでも場所が変わると種類が変わるなど、気候でその生息地域は大きく異なる。

▷ゴーゴートカゲ

▷ガンバリカブト

▷ゴーゴーガエル

▷ガンバリバチ

▷ツルギカブト

▷その他の小動物　検討稿

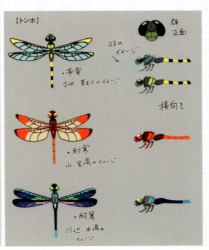

BACKGROUND
生き物

　ハイラルの大地の生き物たちは、協力しあったり、戦ったり、食料になったりと人間との関係性もさまざま。会話による意思疎通ができる人間とは異なり、生き物たちの思考を把握することは難しいが、生き物を観察していると、彼らのコミュニティが見えてくる。オオカミが遠吠えをして仲間を呼び戦闘態勢に入る行動や、ヤマシカが群れで周囲を警戒している様子など、生き物同士でのコミュニケーションは活発で、ハイラルの世界を生き抜くための知恵を持っていることがわかる。

人々の生活に寄り添う生き物

　ハイラルで暮らすうえで欠かせないのが、交通手段となっている馬と荷物運搬に重要なロバ。特に馬は人々の足として活躍しているだけでなく、ボコブリンといった魔物にも利用されている。ハイラルの特徴のひとつとして、馬宿をはじめとした馬中心の社会形成が挙げられるが、中には野生のシカやクマなどに乗る冒険者もいる。

それぞれの地域に適応した姿

　同じ種類の生き物でも、地方によって体色が異なるものもいる。これはハイラルの気候によるものが大きく、比較的狭い範囲に火山、雪山、砂漠、海といったさまざまな自然環境が集まっているため、生き物たちもそれに適応した姿となっている。また、他では見ることのできない固有種が生息している地域もあり、そうした野生動物の生態調査も進んでいる。

リンクが振る、構える 武器・盾

大厄災の影響によって荒廃が進む100年後のハイラルにおいて、武器は命を守る重要な役割を持つ。リンクは冒険の中で、さまざまな武器を手にし魔物と対峙する。武器は主に剣・大剣・槍・そして弓に分けられる。その他、時にはハンマーや木のおたまなど、日用品を手にすることも。もう片方の腕で持つ盾も、身を守るのに重要な装備である。

◂ マスターソード

この世界に唯一存在する退魔の剣。100年前の戦いにより傷つき、ゼルダ姫の手によりコログの森で眠りに着いた。その後、長い時を経て回復し、100年後に再び勇者リンクの手に戻ることとなる。

▷ 検討稿

壊れ小 / 壊れ中 / 壊れ中 + 怨念的な何か

161

ハイリア人の武器・盾

ハイラル城を守る兵士たちの武器はその階級によって異なる。王家シリーズが最も上級の装備ではあるが、装飾が多く施されていることもあり、威力では近衛シリーズが最も高い。

▷王家の装備

▷近衛の装備

▷騎士の装備

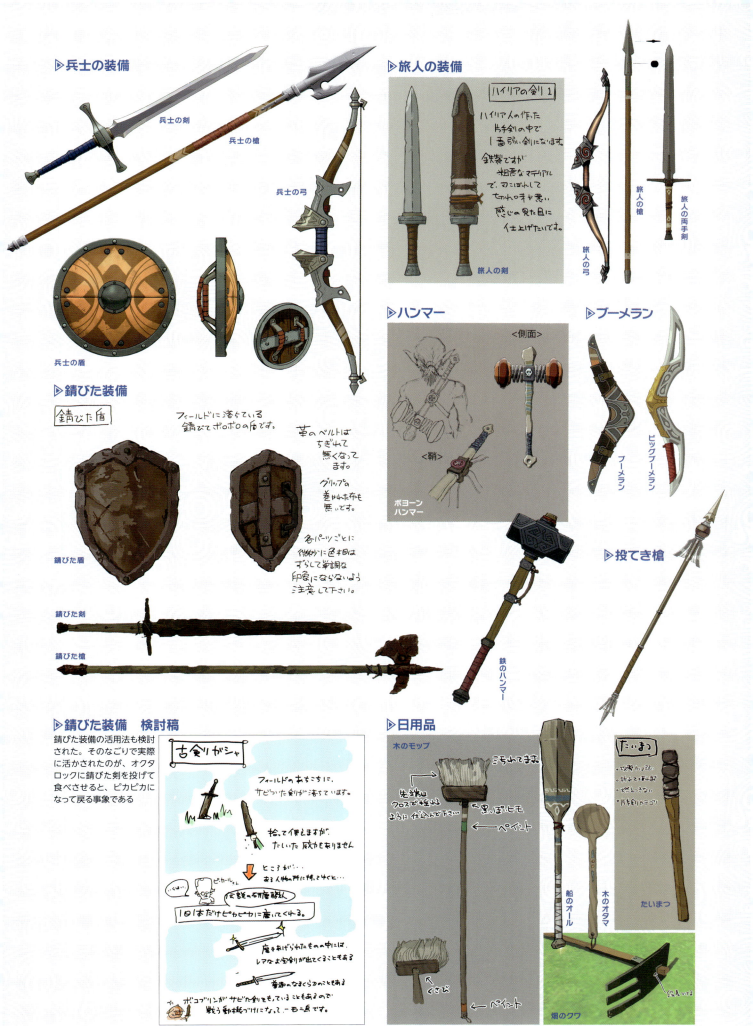

さまざまな種族の武器・盾

ハイラル各地に住んでいる種族たちは、それぞれ独自に装備を作っており、各種族の体型や風土などに合った性能やデザインとなっている。

▷シーカー族の装備

▷シーカー族の装備　検討稿

▷イーガ団の装備

首刈り刀
鬼円刃
風斬り刀
風斬り刀(鞘)
二連弓

▷ゴロン族の装備

石打ち
岩砕き
巨岩砕き
削岩棒
岩砕き(鞘)

▷ゴロン族の装備　検討稿

武器・盾　165

魔物の武器・盾

魔物によって使っている装備が異なるのは人間たちと同様。ボコブリンでは棒に骨を巻きつけた武器に対し、リザルフォスでは精錬された金属が使用されているなど、魔物たちにも文化や技術力の違いが見てとれる。

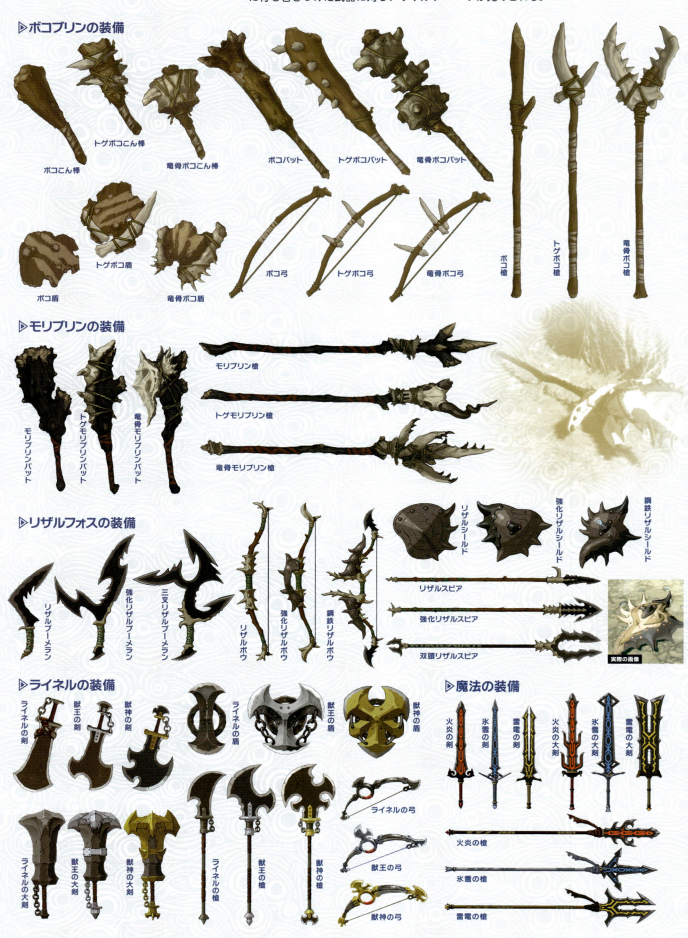

▷ガーディアンの装備

ガーディアンガード

ガーディアンガード＋

ガーディアンガード＋＋

▷ガーディアンの装備 検討稿

ガーディアンナイフ

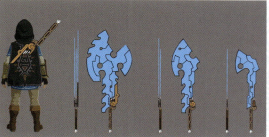
ガーディアンアクス

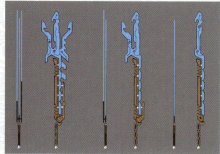
ガーディアンランス

▷古代兵装

古代兵装・剣

古代兵装・槍

古代兵装・弓

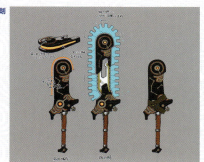
古代兵装・大剣

古代兵装・盾

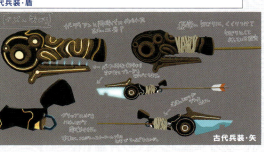
古代兵装・矢

▷古代兵装　検討稿

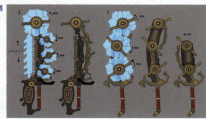
古代兵装・大剣

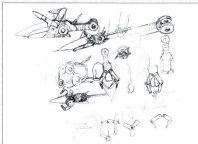
古代兵装・矢

▷光の弓・矢・矢筒

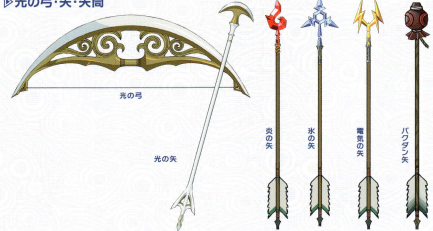

光の弓 ／ 光の矢 ／ 炎の矢 ／ 氷の矢 ／ 電気の矢 ／ バクダン矢

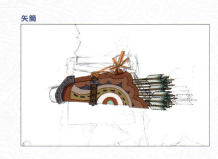
矢筒

武器・盾　169

歴代タイトル関連の武器・盾 (amiibo)

神話、または伝説と呼ばれる遠い時代。もしくは、次元さえも超えた別の世界の出来事という説もある、数々の物語。そこで語られている武具が、このハイラルにも存在している。

▶『ゼルダの伝説』ソード

▶『時のオカリナ』ダイゴロン刀

▶『ムジュラの仮面』鬼神の大剣

■鬼神の剣の鞘 <再調整>

Designer's Note

武器や盾は、それぞれが特徴のあるシルエットを持ち、見た目で強さや機能がある程度わかることを大事にしました。またデザインをするうえで、種族武器であれば、どういった素材や技術を使って生活している文化だろう？ 模様や装飾の好みは？ と思いを巡らせ、街の装飾や村人の服装などになじむように考えました。それは敵であっても同じで、バックボーンを考えることでよりユニークで説得力のあるデザインになりますし、なにより想像するのは楽しい時間ですね。　　　　　　　　　　【Senior Lead Artist：Character / Item　尾山 佳之】

着飾る、彩る 服・アクセサリー

ハイラルの民の服装は、職業やその地方の気候によっても異なる。リンクの服装は、頭・胴・脚の3か所にそれぞれ好きな服を着ることができる。その種類はさまざまで、暑さ寒さを凌ぐ機能性を備えていたり、戦闘において動きやすい服装、防御力の高い鎧など、バリエーションに富んでいる。

英傑の服

ハイラルを大厄災から守る英傑が身につけることを許された服。100年前のリンクはこの姿で戦い、そして傷ついた。蘇った後はカカリコ村にいるインパからこの服を授かる。

DESIGNER'S NOTE

まず「能力の高い装備にかたよらず、プレイする人によって多様性を出したい」とのオーダーがあり、パッと見て違いがわかるシルエットを持ちながら、組み合わせても破綻しないデザインをしました。シリーズで全身を揃えるも良し、能力重視や単純に見た目の好みで決めても良しの自由度により、冒険に一役買えたと思います。さらに色を変更して自分なりのコーディネートができるように染色要素も取り入れました。裸は開発初期にはなく制作の過程で生まれましたが、初めてゲームに出たときは衝撃的で開発内部でも盛り上がりました。何も装備していない状態でのゲームスタートとなりましたが、今思えば必然だったのかも知れません。淑女の服（P.176）は、ゲルドの門番の目もあざむけて、リンクが着てもシックりくるデザイン、ということでなかなか難しいお題でした。いざ作ってみると違和感がなかったのは意外でしたが、ルージュにはしっかりと見破られていましたね。
【Senior Lead Artist：Character/ Item
尾山 佳之】

172

➤ 目覚めの服装

リンクが100年の眠りから目覚めたときの服装。

実際の画像

リンクパンツルック

コールドスリープする際にシーカー族に着せられたパンツという設定です。

ゲーム中に、すべての装備を外した状態となります。ゲーム開始時は、腰のベルト外した状態からのスタートになります。

➤ 古びた服

100年前にリンクを介抱した者が、回生の祠に用意した服。100年の時を経たため、少し古ぼけている。

▶ 染色バリエーション

忍び服
シーカー族の技術で作られた布の効果により、衣擦れ音が徹底して抑えられている。そのため隠密行動に優れる。

防火服
ゴロンシティの熱に耐えられないハイリア人観光客のため、ゴロンの職人が作り上げた。素材は石が中心。

ゾーラの服
ゾーラ族に伝わる装備で龍の鱗が使われていると言われる。上着は代々、ゾーラの王女が将来婿になる者のサイズで作る。

リトの服
リト族の生え替わりの羽で作られ、高い保温性を持つ。頭の羽飾りには炎の力を宿すルビーがあしらわれている。

▶忍び服検討稿

ハイリアのフード

ハイラルの伝統的なフード。手軽に購入できる価格に加え、日ざしや雨風をしのげる高い機能性から、旅人たちにも広く使われている。

ハイリアの服

布製の一般的な服に、鎖かたびらと胸当てなどの防具を合わせた服。兵士でない一般的なハイリア人の旅人が、危険を伴う場所へ行くときなどに着ることが多い。

胸鎧穴に通し、肩鎧内側に引っかけて留める

淑女の服

女性しか存在しないゲルド族の手による服。随所に施された装飾が女性の美しさを引き立てる。暑さをしのぐ開放的なデザインと、女性の肌を強い日差しから守る機能を兼ね備えている。

指輪状のもので
とめている。

クライムウェア

滑りにくい指先と足もとと、体幹バランスの調整などの効果によって、着た者の壁登りをサポートする。この性能は、服に使われた古代の技術によってもたらされている。

防寒着

丈夫な生地で作られた上着と分厚い手袋で、寒さから体を守る。機能面では羽毛で作られたリトの服に一歩譲るが、山で暮らす人々に愛用されている。

熱砂の服

氷の力を宿すサファイアが随所に使われているため、その加護で砂漠の暑さにも適応できる。限られた者のみが入場を許されるゲルド秘密クラブで販売。男性専用。

▷ 熱砂の服　検討稿

服・アクセサリー　177

ハイリア兵の鎧

職人の技術が生み出した、最前線で戦う兵士のための装備。金属製かつ重量があるので機動性は落ちるが、高い防御力を誇る。

手首曲がりちイメージ

留める

手甲の裏側イメージ

蛮族の服

太古のフィローネ地方にいたと伝えられている戦闘部族の装備。その特殊な文様により精神を高揚させ、闘争心をかき立てる。

爪4本

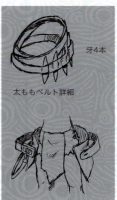

牙4本

太ももベルト詳細

サンダル詳細

バックル部分詳細

武器装着用ベルト詳細

ラバースーツ

現代のハイラルにはない素材「ゴム」を使用。古代技術によって作られた貴重な装備である。ゴムで全身が覆われ、電気によるダメージを抑える。

・あごひも
Dカンのダブルリングベルト。
内側は下瞼あたり2所で留まっている

178

夜光服

暗闇では夜光石を砕いて作った特殊な塗料が光り、ドクロのような骨格模様が浮かびあがる。

古代兵装

アッカレ古代研究所のロベリーが開発した。ガーディアンに使われている技術が用いられており、製造には多くの古代素材が必要。

▷夜光服（暗闇時）

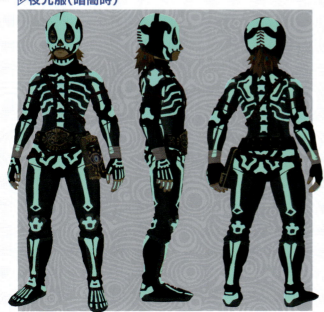

▷古代兵装　検討稿

息吹の勇者服

試練の祠を制覇した者だけが手にできるという装備。はるか昔、伝説の時代から勇者が身につけていたと言われる緑の衣装の伝統を引き継いだデザインになっている。

雷鳴の兜

ゲルド族の王家に代々伝わる至宝。かぶった者はどんな雷撃も弾くというが、その力を正しく扱えるのはゲルドの族長だけと伝えられている。

↩ サンドブーツ

靴底が特殊な形状をしており、砂漠でも足を取られることなく、走ることができる。古のゲルド族が使っていたという。

↩ スノーブーツ

歩きにくい雪道でも、普通の土地と同じように進めるブーツ。雪をしっかりと噛む強靭なスパイクが靴底に付いている。

↩ ボコブリンマスク

ボコブリンの顔を模して作られた頭装備。これをかぶった者は、ボコブリンと同じような前傾姿勢となる。マモノショップのキルトンが自ら縫っている。

↩ モリブリンマスク

モリブリンを模した、キルトンお手製マスク。モリブリンから気づかれにくくなる。また、自分は少しヒザを曲げた姿勢となる。

リザルフォスの飛び出た目やカラフルな舌も再現されている頭装備。キルトンが1つ1つ縫っており、その完成度はリザルフォスからも仲間と思われるほど。

たてがみと角が特徴的なライネルを模したマスク。これをかぶると、ライネルと同様、胸を張ったポーズをとるようになる。キルトンのお手製。

↩ リザルフォスマスク

↩ ライネルマスク

ファントムの装備 (DLC第1弾)

かつて勇者でさえ恐れたという甲冑の魔物がまとっていた鎧。背中にはハイラル王家の紋章がある。古の伝説では、王家の姫が甲冑の魔物に憑依したことがあるという。

チンクルの装備 (DLC第1弾)

妖精に憧れていた男が好んで着ていたという緑衣。その男にとって緑は妖精の証の色だったという。背中にはコブラの模様が描かれている。

コログのお面
（DLC第1弾）

コログの顔を模したお面。風車のかんざしも付いている。隠れているコログの近くを通るとお面がゆれ、身につけている者にコログの存在を伝える。

風車OFF

ミドナの冠
（DLC第1弾）

黄昏の勇者とともに戦った影の女王が身につけていたと伝わる冠。強力な魔力を秘めていた彼女の髪を模した装飾が施されている。

ムジュラの仮面
（DLC第1弾）

太古の昔より伝わる仮面。伝説では異世界を滅亡の危機に陥れたとも伝わる。ガーディアンなど一部を除き、敵から完全に気づかれなくなる。

近衛兵の装備
(DLC第2弾)

ハイラル王国の王族を警護する、近衛兵が着用していた正装。王の側近としての公務もあり、フォーマルな印象ながら見た目よりも軽く動きやすくなっている。

青いエビシャツ
(DLC第2弾)

風を操り海を往来したという風の勇者が、故郷の島で身に着けていたとされるシャツ。海を思わせる青いシャツに、波とエビの模様が描かれている。

ラヴィオの頭巾
(DLC第2弾)

壁画になって壁を移動できる不思議な腕輪を持っていたという、旅の商人の頭巾。ロングマフラーも一体となっている。

184

始まりの勇者服 (amiibo)

古の勇者が愛用したと言われる服。飾り気のなくシンプルなデザインが魅力的な逸品。髪型は9：1分けになり、もみあげも長くなっている。

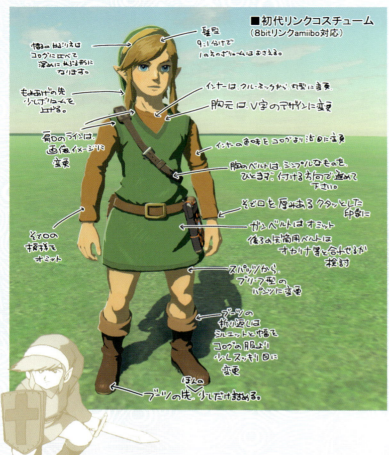

時の勇者服 (amiibo)

時を超えて旅をした勇者が 身に着けていたという。元は森の民が作った服とされ、襟の大きな上着が特徴。髪型はセンター分け、もみあげは短め。

シークのマスク (amiibo)

時を超えて旅した勇者を手助けしたというシーカー族が身に着けていたと伝わるマスク。忍び服を合わせるとよりシーカー族らしくなる。

風の勇者服（amiibo）

大海原を旅した勇者が愛用したという服。水に強い作りで、うずまき型のバックルが特徴。祖母から贈られた品だという。

黄昏の勇者服（amiibo）

黄昏の魔物と戦った勇者が身に着けていたという服。ところどころに狼の毛が付いている。インナーに鎖かたびらを着用。

大空の勇者服（amiibo）

鳥に乗って空から現れた勇者が愛用していたという服。儀式の祝いの品であり、騎士団の制服だったと伝えられている。

鬼神服（amiibo）

月が落ちてくる世界の勇者が持っていたとされる装備。勇者が身に着けた際は、まさに鬼神のごとき力を誇ったと伝えられている。

服・アクセサリー　187

神獣兵装・ルッタ (amiibo)

神獣ヴァ・ルッタを模した兜。ルッタと同じ長い鼻が特徴。

▷正面  ▷背面

キバOFF  しっぽOFF

耳・キバOFF  耳・キバOFF

神獣兵装・ルーダニア (amiibo)

神獣ヴァ・ルーダニアを模した兜。六面に開く頭部が精巧に再現されている。

▷正面  ▷背面

神獣兵装・ナボリス
（amiibo）

神獣ヴァ・ナボリスを模した兜。背面側の装甲で長い首が再現されている。

▷ 正面　　　▷ 背面

耳なし

神獣兵装・メドー
（amiibo）

神獣ヴァ・メドーを模した兜。メドーのクチバシとトサカのような部品が特徴。

▷ 正面　　　▷ 背面

⚔ アクセサリー・頭

額の部分につける、輪になったアクセサリー。ルビーは炎、サファイアは氷、ダイヤは光の力を宿す宝石である。

▷ ルビーの頭飾り

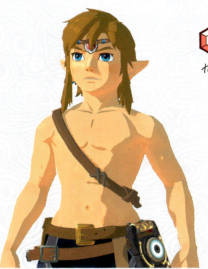

▷ サファイアの頭飾り

▷ ダイヤの頭飾り

⚔ アクセサリー・耳

耳たぶを挟んで留めるタイプのイヤリング装備。オパールは水、トパーズは雷、コハクは大地の力を宿すといわれている。

▷ オパールの耳飾り

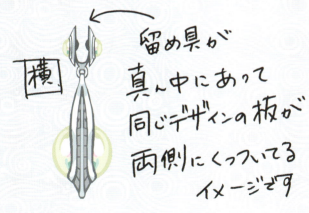

▷ トパーズの耳飾り

▷ コハクの耳飾り

パラセール

始まりの台地にて謎の老人より授かった道具で、グライダーのように滑空することが可能。折りたたんだ状態からさっと取り出して広げられ、機能性の高さも際立つ。

▷ パラセール　検討稿

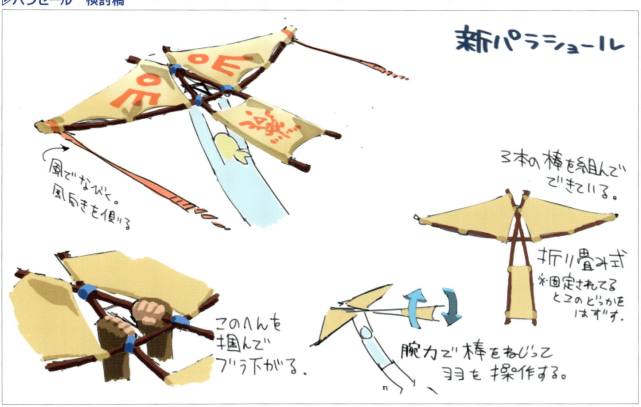

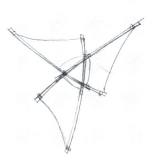

装備の強化や料理&薬の材料 素材

素材とは、それ自体には力はないものの、それ同士を組み合わせたり、他の何かに付与することで力を発揮できる、冒険に欠かせない物である。魔物たちを倒して手に入れる体の部位や、自然に生えている植物も素材として入手でき、使い道はさまざま。強化素材として装備品へ、食材として料理へ、調合して薬へと、幅広い用途で活用できる。

← 魔物の素材

魔物の部位は、装備の強化や薬の材料として重宝する素材。泉の使いやライネルなど、強い魔物になればなるほど、その価値も高まる。

▷ ボコブリンの素材

▷ ヒノックスの素材

▷ チュチュの素材

▷ キースの素材

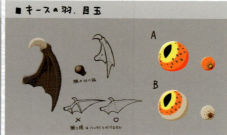

▶ モリブリンの素材

▶ 泉の使いの素材

▶ ライネルの素材

▶ モルドラジークの素材

▶ リザルフォスの素材

▶ オクタロックの素材

▶ オクタふうせん

193

食材と料理

素材の中には、料理の材料となる食材も含まれる。肉やキノコ、植物や穀物に乳製品などを鍋に加えて、調味料と合わせることでさまざまな料理が出来上がる。また、魔物の素材などを鍋に加えると、薬を調合することもできる。

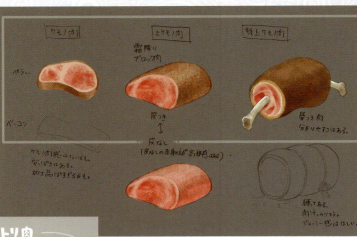

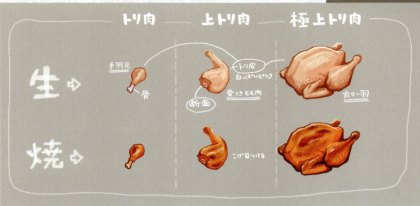

▶食材　検討稿

▶鍋　検討稿

鉱石

鉱床を採掘することで入手できる物。火打ち石など実用的な鉱石から、ダイヤモンドのような値打ちのある宝石まで、掘り出せるものは多彩。

古代の素材

一般の商店では取り扱えない物だが、古代技術の研究を行っているアッカレ古代研究所では取引が可能。しかし、こうした古代の素材はガーディアンなどから採れるため、入手は困難を極める。

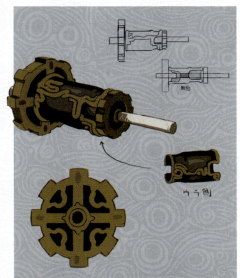
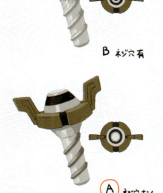

BACKGROUND
武器・盾・服・アクセサリー・素材

種族ごとに異なるフォルム

装備品は、それを作った種族ごとに特徴があり、使われている素材や機能などで見分けることができる。下の図にあるように、武器に関してはシルエットでも特徴がつけられており、直線的なフォルム、シャープなライン、しなった刀身など、その形状や素材によってどの種族が作った物かがわかる。

町によって異なる洋服店のマネキン

町のほとんどには、装備品を売る店がある。頭、胴、足につける装備はそれぞれマネキンに飾られているが、そのマネキンも各地でデザインが異なる。マネキンの材質や体形にそれぞれの特徴が表れている。

地方で特色のある"名産品"素材

カカリコ村ではヨロイカボチャが育てられ、ゾーラの里では魚が売られているなど、町やその町で売られているもので、種族や住まう地方による人々の生活スタイルの違いもわかる。

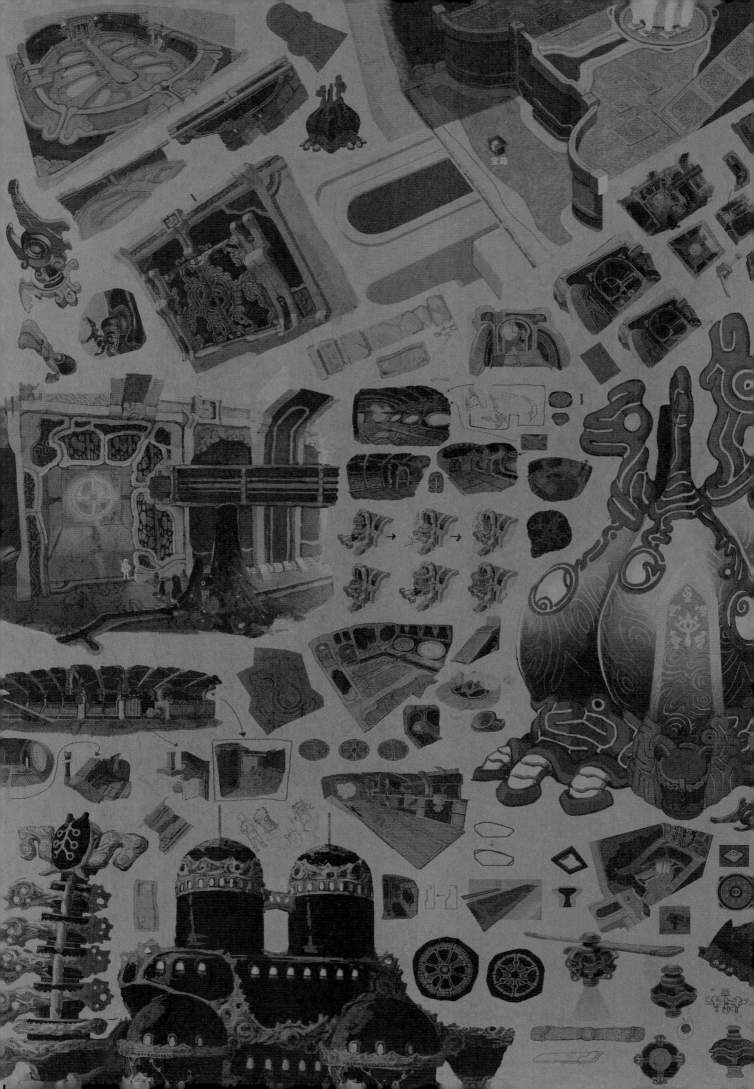

超テクノロジー 古代シーカー遺物

遥か昔、シーカー族はハイラルの現代文明とは一線を画す高い技術力を持っていた。彼らのテクノロジーによって造られた物は勇者のサポートや訓練を目的としたもの、厄災ガノンを攻撃するための兵器と多岐にわたり、現在も数多く残されている。しかし、ガーディアンといった近代になって発掘された遺物は謎も多く、日々研究が進められている。

シーカーストーン

冒険をサポートするための機能が多数盛り込まれた小型端末。地図の表示や写し絵の撮影、他の遺物を起動・制御する端末へのアクセスなどが可能。また、リモコンバクダンやマグネキャッチなどのアイテムも使える。

▷ 検討稿

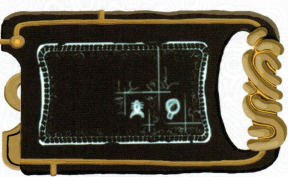

ガーディアン

100年前に発見、発掘された遺物。元はハイラルを守る兵として運用される予定だったが厄災ガノンに乗っ取られ暴走、人々を襲うようになった。

▷ 歩行型

▷ 歩行型　検討稿

最終的には古代のテクノロジーを連想させる機械的なデザインとなったが、初期段階では有機的なデザインなども検討されていた

◆ 四神獣

古代シーカー族が厄災ガノン封印の助けとするために創り出した、人が操る四体の巨大な獣。内部には数多のからくりが配備された1つの建造物のようになっている。各所に配備された制御端末により制御されており、選ばれし人間が内部に乗り込み操ることで、厄災の力を削る強力な砲撃を放つという。

▷検討稿

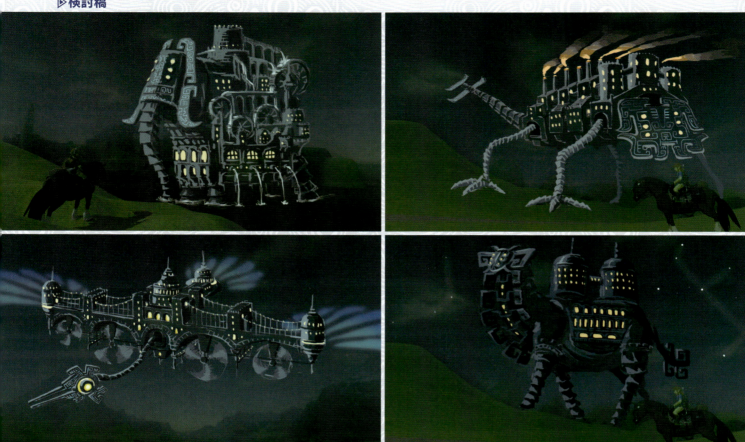

古代シーカーの遺物におけるすべての始まりとも言える、開発最初期の神獣デザイン案

最初期に考案された検討稿の中には、さまざまな動物がモチーフとなった案があった

最初期のデザイン案の中でも、特に「ラクダ」の印象が神獣の方向性を決定づけた。そのため、ラクダをより磨き上げる形でデザインが詰められていった

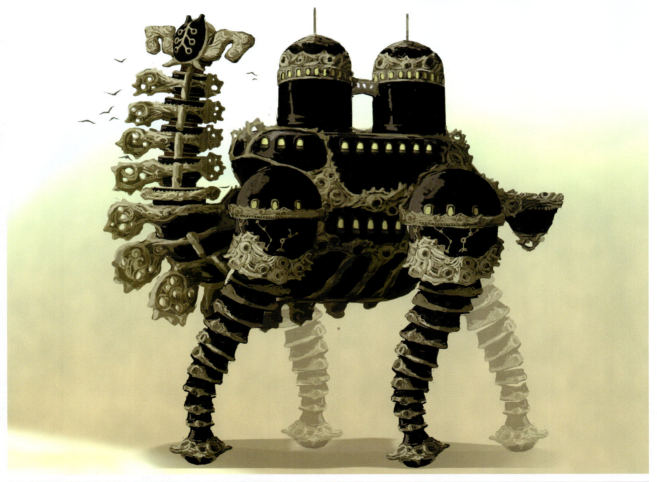

Designer's Note

　ひとたび目にしたらそこに行ってみようと思わずにはいられない"奇妙"なモノ。開発中は「四大遺物」と呼ばれていた動く大型ダンジョン「神獣」に求められたゲーム的な機能であり、とても難易度の高いデザインテーマです。P.200のスケッチ群は、その産みの苦しみに解を見出すことができたきっかけとしてよく覚えています。見慣れた動物のシルエットなのに、宮殿のようであり工場や橋梁のようでもあり、生きているようで機械仕掛けのようでもあり、可愛らしくもあり気持ち悪くもある。敵か味方かも曖昧、まさにひとたび目にしたらそこに行ってみようと思わずにはいられない"奇妙"さを予感させました。ちなみに、前後に人間が入っているかのような歩行アニメ（獅子舞のイメージです!）をラクダ型の神獣に実装したときに、予感は確信に変わりました。
　　　　　　　　　　　　　　　　　　【Art Director　滝澤 智】

　先行して存在したガーディアン(P.198)や縄文土器をベースにしつつ、東南アジアの儀面や子供が描いた絵などを参考にして、西洋美術的な価値観とは違う方向性を模索しました。遠目からのシルエットをとらえやすくするため有名な動物をモチーフにはしましたが、それだけでは面白くないので、本物を見たことがない人が描いた、間違えたラクダのような姿に寄せることで、神話のなかの生き物のような雰囲気を出しました。稚拙な部分を残したことで、古代の香りのある、不気味さと愛嬌を備えた存在になったと思います。
　　　　　　　　　　　　　　　　　　【Wildlife Art　信太 文】

神獣 ヴァ・ルッタ

ゾーラ族の英傑ミファーが使役した神獣。厄災ガノンの怨念により暴走、現在はその鼻から膨大な量の水を吹き上げているため、ゾーラの里はいつも雨が降っている状況となっている。

▶検討稿

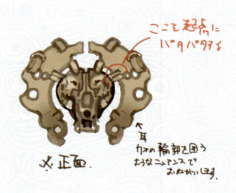

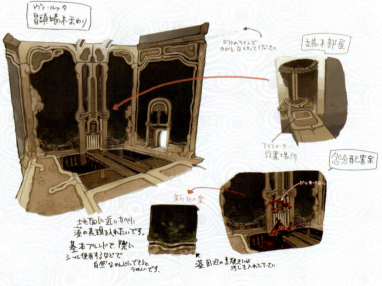

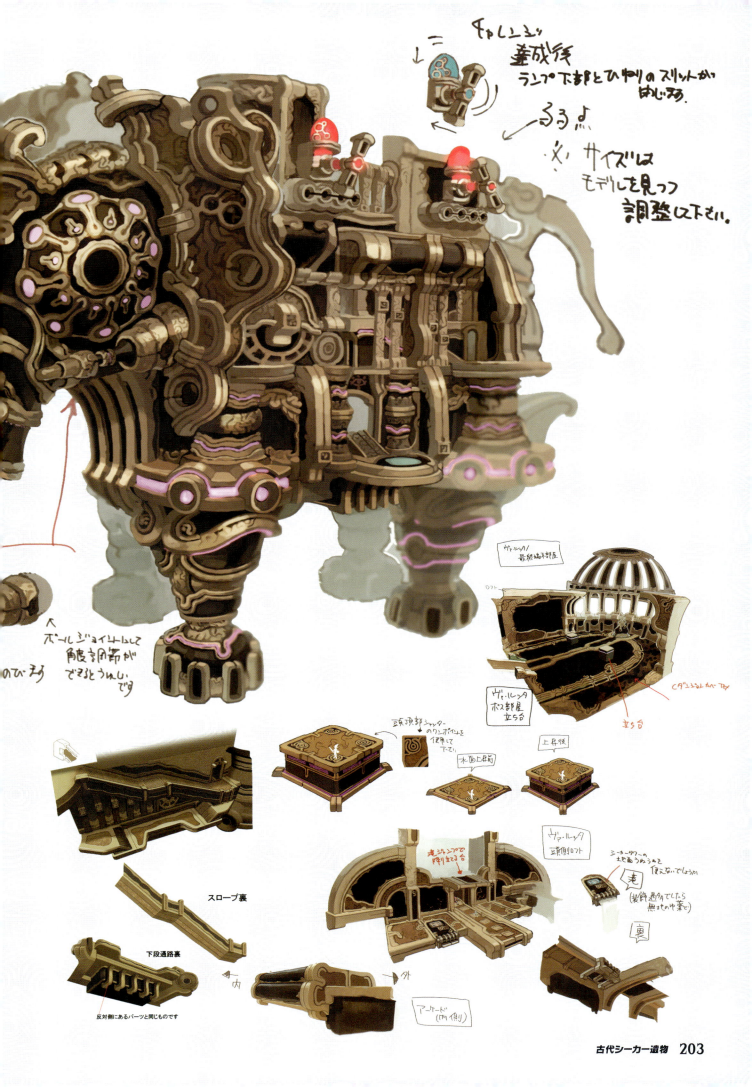

神獣 ヴァ・ルーダニア

ゴロン族の英傑ダルケルが使役した神獣。巨体ながら、自在に動く4本の足を駆使してデスマウンテンの切り立った山腹も登れる機動力も有する。

古代シーカー遺物　205

神獣 ヴァ・ナボリス

ゲルド族の英傑ウルボザが使役した神獣。厄災ガノンの怨念により暴走した後は、人が近づくと2つのコブから強力な雷を出して攻撃するようになった。

▷ ナボリス内部

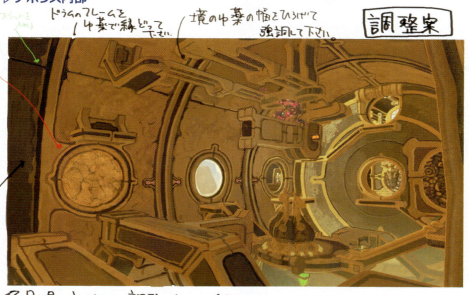
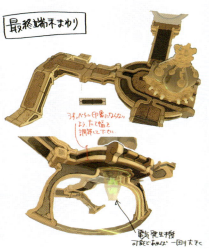
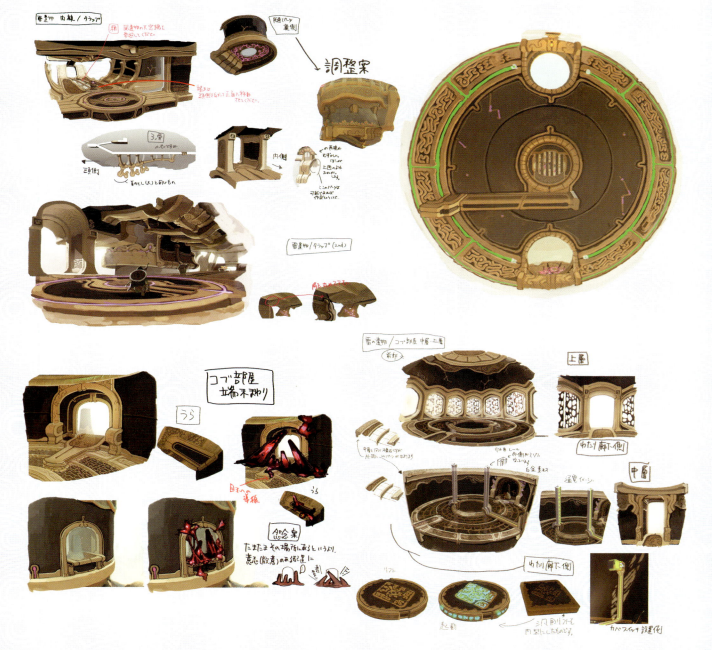

古代シーカー遺物　207

神獣 ヴァ・メドー

リト族の英傑リーバルが使役した神獣。はるか上空を飛んでいるため、近づけるのはリト族のみ。暴走している現在はリト族でもレーザーで追い払う。

DESIGNER'S NOTE

「物理挙動をうまく使ったダンジョンの遊びができないか？ 地形全体を動かして、その結果をいろんなオブジェクトに作用させよう」というのが神獣ダンジョンの出発点です。次に水・火・雷・風と各ダンジョンのコンセプトを決め、それらのエレメント要素と物理を交えて仕掛けを組み立てていきました。意匠については、高度な技術の兵器ということで、SF的な最先端なかっこよさを求めるというよりもブリキ玩具のような雰囲気を残し、不気味だけどどこか懐かしい、興味を惹かれる存在になるよう注意しました。ダンジョン全体が動き、見た目も動物モチーフということでダンジョン自体をキャラクター化することに挑戦しました。フィールドにて遠くからダンジョン自体が徘徊している姿を確認できたり、ダンジョン自体と戦ったりと、いままでとまた違うダンジョンの存在感を出すことができたと思います。

【Lead Artist：Dungeon 西部 耕智】

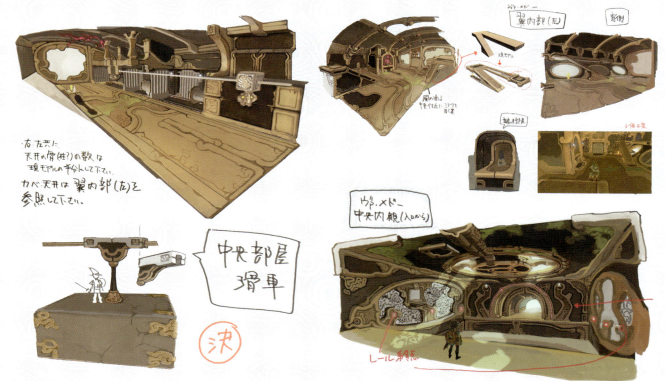

▶ 検討稿

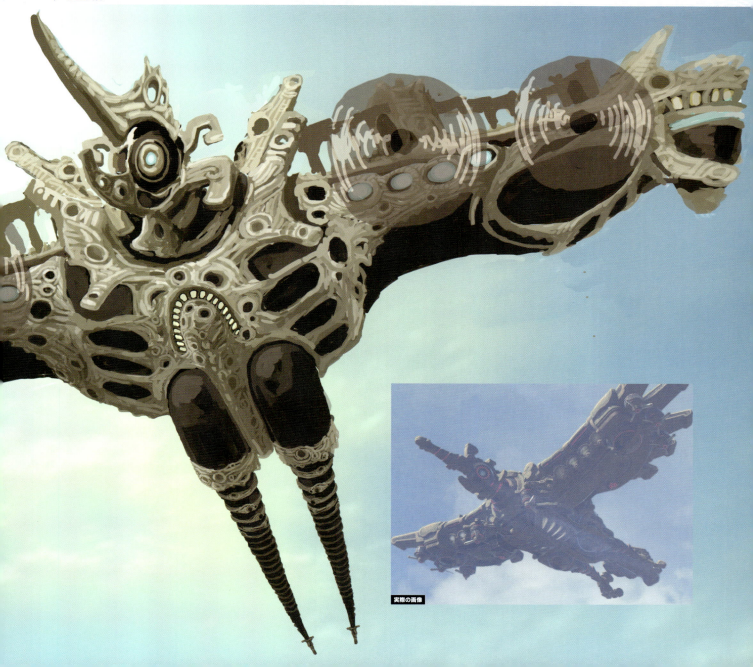

シーカータワー

ハイラル各地に設置されている遺跡で長い間地中に埋まっていたが、勇者リンクが復活し始まりの台地でタワーを解放したことにより、すべてのシーカータワーが地上に姿を現した。端末には、各地の地図情報が収められている。

▷ 検討稿

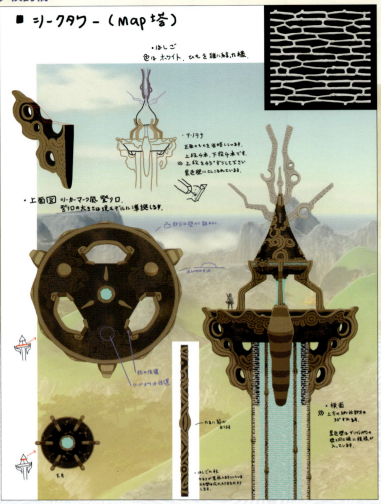

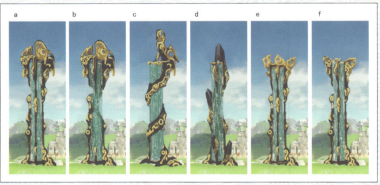

▷ 勇導石と端末

🡐 試練の祠（外観）

ふだんは固く扉を閉ざしており、シーカーストーンを持った選ばれし者を待っている。世界中に100を超える祠があり、中には謎を解くまでその姿を現さない祠も存在する。

▷ 検討稿

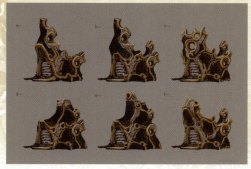

▷ シーカーストーン端末

▷ エレベーター台座

■ダンジョン入口エレベーター(FB再調整)

古代シーカー遺物　211

試練の祠（内部）

祠の内部は勇者の力を試す空間。勇者はさまざまな仕掛けを乗り越え、導師がいる最深部を目指す。

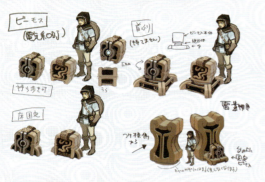

▷ 検討稿

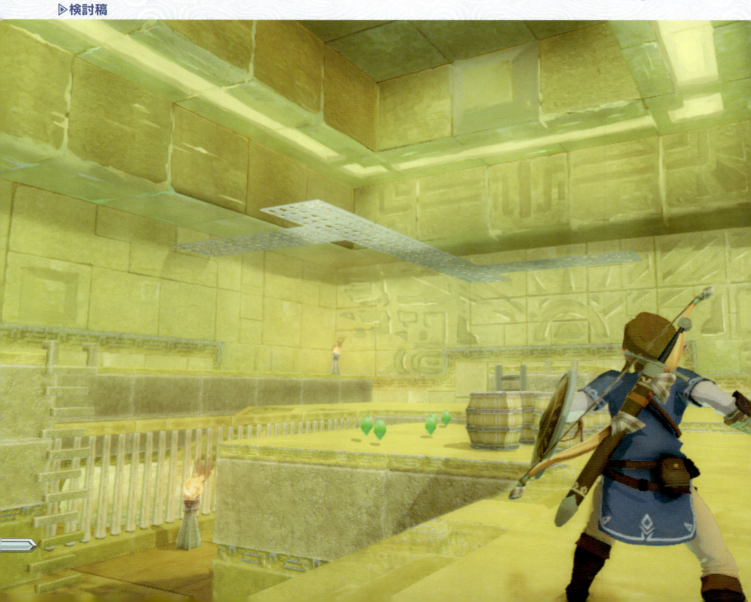

▷導師の台座

BACKGROUND
古代シーカー遺物

リモコンバクダンなどは ピンを抜くことで発動する

シーカーストーンにそのアイテム情報をダウンロードすると使えるようになるリモコンバクダン。リモコンバクダンを使うときは、シーカーストーンに付いている穴あきのピンを抜くことでリモコンバクダンが出現する。バクダンの上部に付いている丸い突起がピンである。

長い年月を越えて伝えられる 古代文字

古代シーカー遺物では、瞳の図柄や渦を巻くような太い線がデザインされている。それらとともにあしらわれているのが古代文字である。ダウンロード端末のシーカーストーンと接続している最中に流れる光や、祠などの壁や扉にも古代文字が書かれている。これらの古代文字は解読することも可能である。

宇宙を観察していた？ 古代シーカー族

古代シーカー遺物では、点と直線を組み合わせた模様が多く見受けられる。試練の祠の中にはこの模様が謎解きのヒントに使われているものもあり、またガーディアンの足の付け根近くにも、似たような模様が確認できる。これは夜空に輝く星や星座を表現している、という説もある。古代シーカー族は、星を観察し、天体の様子を研究していたとも考えられている。

始まりの地、決戦の地
中央ハイラル

ハイリア川より西側、ハイラル城とその城下町を中心として南北に広がる平地。さらにサトリ山付近まで続く西エリア。南側にはリンクが100年間眠っていた回生の祠を含む始まりの台地がある。ハイラル城と城下町はガーディアンが多数徘徊する危険な場所で、訪れる旅人は少ない。最も北側には、美しい桜も見られるハイラル大森林が位置する。その中には普通の人間では迷ってしまう迷いの森も広がっている。

始まりの台地

周囲より一段高くなった土地で、他と隔絶され陸の孤島となっている場所。100年前の戦いで傷つき倒れた勇者リンクは、この地で癒され、そして蘇った。

▶ 回生の祠（リンクの眠る部屋）

▷回生の祠（2番目の部屋）

シーカーストーンを受け取ったリンクが、眠っていた部屋から出た先の場所。宝箱が無造作に置かれている

▶シーカーストーンの台座

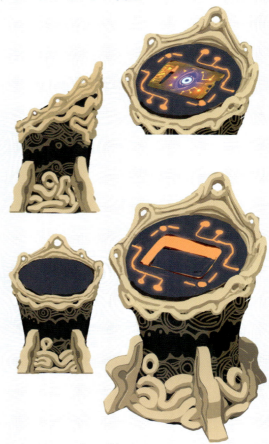

▶検討稿

Designer's Note

　ゲームを開始したユーザーが序盤に目的を見失わないよう、冒頭の地形はある程度、行動範囲を限定する必要がありました。谷や盆地にしてしまうとせっかくの広大な景色が見えなくなってしまうことから考えたのが「台地」というアイデアです。もともと過去の『ゼルダ』シリーズの位置関係に沿った地勢にしようと構想していたので、地理的にも要所としてもこの台地に「時の神殿（P.219）」を建てることにし、さらに時間を超えるというキーワードの元に「回生の祠」というアイデアが出てきたのです。ちなみに回生の祠とガノンの繭のあるハイラル城の「謁見の間（P.247）」は同じ構図になっており、「復活」というキーワードで統一された意匠になっているんです。

【Senior Lead Artist：Landscape　米津 真】

▷老人の小屋

回生の祠より南東の方角にある小屋。リンクが初めて出会う老人が使っていた。多少朽ちてはいるが、鍋や調理器具が揃っており、生活の様子がうかがえる

▷はじまりの塔 起動前の台地　検討稿

▷老人の小屋 内部

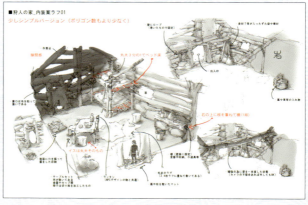

▷老人の小屋　検討稿

▶時の神殿　検討稿

中央ハイラル

ハイラル丘陵

ハイラル平原の西側には、いつも激しい雷雨に見舞われている雷の台座や、土地が何かの力によって隆起されたかのような盛り上がりを見せる終焉の谷がある。ニーケル平原では、輪っか岩に関する伝承を吟遊詩人のカッシーワが歌っている。

▷雷の台座　検討稿

▷ニーケル平原　輪っか岩　検討稿

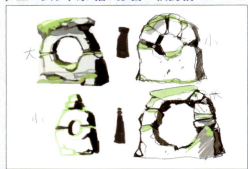

実際の画像

実際の画像

実際の画像

▷終焉の谷　検討稿

ハイリア湖

ハイリア平原の南東に広がる巨大な湖。中央には、湖を南北に貫くハイリア大橋がかかっている。ハイラルの中でも最大級の橋だ。

実際の画像

▷ハイリア大橋　噴水　検討稿

▷ハイリア大橋　オベリスク　検討稿

コログの森

ハイラル城より北側に広がる森の中央にある。周囲に広がる迷いの森により、ここへ来ることができるのは選ばれた者だけである。そのため森の精霊コログ族が穏やかに過ごしている。森の中心には傷ついたマスターソードが収められた台座もある。

▶ マスターソードの台座

スターソードの台座

台座の周囲に立てられている岩は実際の画面でも確認できるが、それぞれの岩に意味を持たせていることが、決定稿・検討稿からわかる

▶ マスターソードの台座　検討稿

ハイリア	ゾーラ	ゲルド	ゴロン	コキリ	シーカー
ノーマル	逆三角形	くびれ型	おにぎり型	小さい	ひし形

マスターソード台座案

マスターソード周りの紋様はネール、ディン、フロルのシンボルをモチーフとしています。

▷デクの樹サマ

喜　怒　哀　楽

遠くの山からコログの里方面を見ると、桜の花がとても広範囲に広がっているのがわかるほど、巨大な枝振りを誇る大樹である。ふだんは動かないが、語るべきことがあるときには巨大な幹に隠された顔を大きく動かす

▷デクの樹サマ　検討稿

デクの樹サマ　Cヒゲがあるもの

▶デクの樹サマのおヘソ　検討稿

実際には3つの部屋がお腹に入って左右・正面に並ぶデザインになったが、その他のアイデアもさまざまなものが検討された。また、コログ族がどのような生活を送っているのかが想像できるような仕組みや家具などのデザインも起こされていた

実際の画像

DESIGNER'S NOTE

今作の世界全体を考えた際に「どこかで桜を出そう」と考えていました。デクの樹サマが少し和風になることで今までとまた違った世界観を想像していただけたらと思います。
【Senior Lead Artist：Landscape　米津 真】

数え切れぬ厄災を勇者とともに祓い傷ついた退魔の剣。その剣を祀り傷を癒す祭壇は大地の気に満ち溢れた、かの森。粋な女神の計らいか祭壇のかたわらに桜の若木が一本。若木は溢れる大地の気を剣とともに浴び続け、悠久の時を経ていつしか剣の守り主へと…かの老木は幾度の厄災とそれに抗う幾人の姫巫女と勇者を見てきたのか…そんな妄想からデクの樹サマのデザインは生まれました。悠久の時を生きた老木は、シリーズ史上最大のデクの樹サマです。
【Lead Artist：Structural　竹原 学】

■ コログの家

壁、天井、床には木の根が絡み合っている。
床には年輪の様に文様が施されている。

- コログの寝床（丸まって眠るとか）
- 貯蔵庫（リンクに貰った実を保管してあるとか？）
- コログ大臣の木像
- 壁の穴は棚として使用
- 客室（リンク用）

コログの家　室内案

コログ族住居案

コログ族住居案

コログ家具まとめ

← ハイラル平原

始まりの台地の北側に広がる大きな平野。東をハイリア川、西をヒメガミ川に囲まれているため、周囲には多くの橋がかけられている。城下町から離れた場所にも民家や兵士の詰め所、牧場跡などがあり、100年前のにぎやかさが感じられる。

▶モヨリ橋

▶ハイラル平原周辺　検討稿

建築物の多くは大厄災によって破壊され朽ち果てており、100年後の今は家屋の基礎や崩れた廃材などが残るのみである。その様子も細かい部分までデザインが描かれている

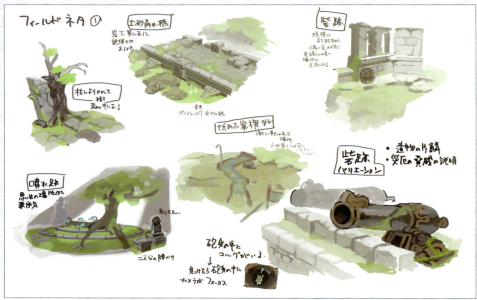

▶ ハイラル城下町 門

ありし日の姿。ハイラル平原の中央付近に建てられている。この門をくぐると、多くの人でにぎわうハイラル城下町となる。門の横は高い壁が輪を描くように取り囲み、城下町を守っていた

門のレール

扉デザインは仮です

中央ハイラル 225

▶ ハイラル城下町

100年前、大厄災に見舞われる前の様子。多くの人と物資が行き交うハイラル最大の都市である。現在は壊滅状態で暴走したガーディアンがうごめいている

中央ハイラル 227

← ハイラル城

城下町を北へ進んだ方向に見えるのがハイラル城。深い堀に囲まれた広い敷地には巨大な壁がいくつも建てられ、本丸を中心にさまざまな施設がある。城の内部は防衛のためであろう、非常に入り組んだ構造になっており、地下洞窟や隠し通路も多い。

▶城門　検討稿

実際の画像

▶橋・城壁など

橋

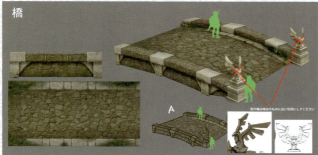

■ハイラル城　あずまや

破壊前　　　破壊　小

破壊　大

▷古代柱

ハイラル城を囲むように地中から伸びている柱で、非常に巨大。シーカー族の意匠が施されているので古代のテクノロジーによる物だとわかるが、現在の赤く輝く姿は禍々しく、ハイラルの異変を象徴しているようにも見える。ガーディアンの格納庫らしく、円模様の中央からガーディアンが排出される設定があった

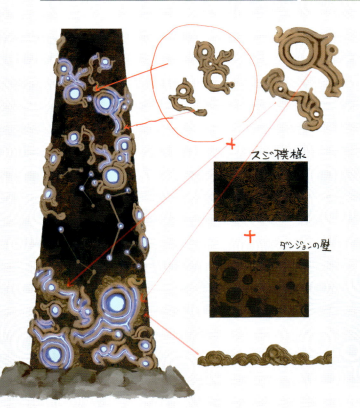

▷古代柱　検討稿

▷二の丸・三の丸

城を形成する中型の建造物で、本丸へ続く道の途中に建てられている。大厄災に見舞われた後は、建物こそ残っているものの内部は怨念に汚染され、ライネルが待ち構えている

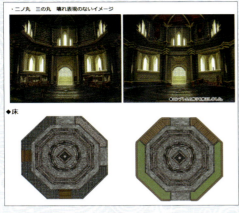

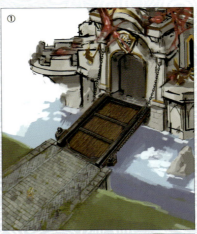

▷二の丸・三の丸　検討稿

▷ハイラル城内 周辺

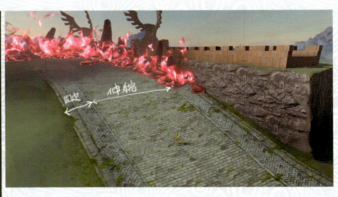

▷本丸　検討稿

遠く離れた場所からもそのシルエットが確認できる城の上部分。下部には謁見の間があり、塔の上には鐘が備え付けられている

実際の画像

DESIGNER'S NOTE

　今作は世界中から最終目的地であるハイラル城が見えるというゲームデザインでしたので、どこから見ても「お城がそこにあって怨念に乗っ取られている」という情報がシルエットから伝わるように、城の外観や怨念をデザインしました。今回は探索エリアとして数多くの室内ルートを用意していて、リンクのメインアイテムを使ってお城の施設に干渉していくイメージで仕掛けを配置しました。アイスメーカーで持ち上げるシャッターなどは試練の祠でもやっているネタで、これまでの冒険のおさらいになっています。始まりの台地とはデザイン上「オス・メス」で対になっていて、例えば大鷲の彫像を見てみると、台地の像は女性的にしなやかなシルエットなのに対して、城のほうでは男性的に雄々しくデザインしています。

【Structural Art　原 義和】

中央ハイラル　231

▶ハイラル城 廊下・装飾物

兵士系武器飾り　　王族系武器飾り

■廊下つなぎ部分
兵士用廊下側　　王族廊下側

絨毯
絨毯末端案

広大な城の内部は、主に兵士たちが使用するエリアと王族が使用するエリアに分けられる。それぞれの建築材料や装飾品には、明確な違いが見られる

■ハイラル城　兵士系廊下シャッター

■ハイラル城内　廊下（洞窟）
手摺や松明などは簡素なもの
所々に木組みで補強されています

◆通路エリア　　　②

232

▶牢屋

▶牢屋 最深部

◆小部屋入り口

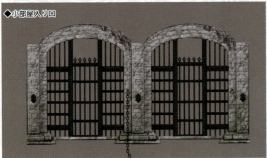

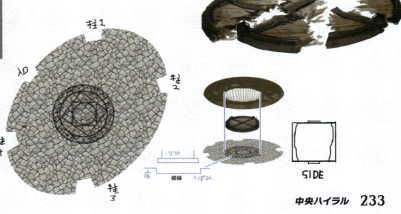

中央ハイラル

▶水汲み上げ部屋

ゼルダの部屋につながる塔の下部より進入できる場所。城へ水を送る施設だが、現在は荒廃。上下に広く吹き抜けた構造になっており、中ほどにある部屋でスイッチを押すと、下から空気が吹き上がる仕組みもある

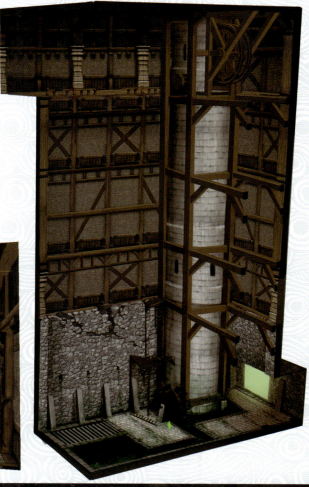
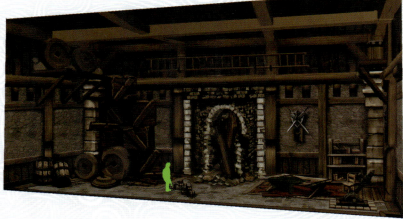

▶船着き場

ハイラル城の裏側、堀より船やイカダで進入することができる場所。試練の祠があるのは、ハイラル城内ではここが唯一である。船着き場から通路を登っていくと、図書室に出ることができる

▶訓練場

■ハイラル城 訓練場 踏みスイッチ
①

■ハイラル城 訓練場 オブジェ

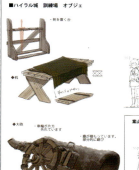

▷螺旋階段(丸)と庭園

水汲み上げ部屋の最上部より城内を道なりに進むと、崩れた螺旋階段が見える。怨念の目を倒して螺旋を登っていくと、美しいアーチに囲まれた庭園へ出る

▷螺旋階段(四角)

大厄災後は階段が途中で崩れているため、登ることは難しい。下の階からは図書室、上の階の通路を通って食堂へ行くことができる。また、階段の下は兵士たちが戦いのために準備したのだろう、武器が多数用意されている

※一段上がったスロープになっています。

中央ハイラル 237

▶ 図書室
2階分の吹き抜け構造になっている巨大な空間で、壁には大きな本棚が並んでいる。大厄災に見舞われた後は天井に穴が開いてしまった

◆外観

◆外観

◆本棚

・金属の棚

・棚は大枠にはめ込まれているイメージです。

ハイリア文字で数字があれば..

◆棚バリエーション案
①スクロールの混じった棚
②本が平積みの棚
③隙間なく詰まった棚
④部分的に本が倒れている棚
⑤本や紙切れがはみ出している棚
⑥隙間のある棚

⑤大きいサイズの本

バリエーションが少ないと繰り返し感が強かったので色や組み合わせを変えて仮配置しています。

a

▶王の書斎

□図書館
隠し部屋

反対側も壁の作りは同じです。

宝箱(仮)

出入り口側の壁

(案)幼いゼルダと王様と王妃が描かれた絵画。

中央ハイラル　239

▷食堂

非常に多くの人数が入れる食堂で、平和な時代はここに多くの来賓を招いたことだろう。少し弧を描いた部屋で、外回廊へ通じる扉もある。現在は魔物が巣食うようになり、食べ散らかしたフルーツなどの残がいが目立つ

▷食堂の調度品など

▷食堂 外観

中央ハイラル

▶展望室

城門をくぐって正面に見えるのが、展望室の展望台である。ハイラル王による言葉がここから民衆へ向け発せられたこともあっただろう。大厄災後の世界では、怨念によって窓が完全に塞がれている

展望台（外壁）

▶展望室 外観 検討稿

▷ 大広間

リンクが立ち入ることができる場所の中で、このような部屋は見当たらない。激しい崩壊のため立ち入りできなくなった区域であると推測できる

▷ 応接室

展望室とつながっている大きな部屋で、ここを中心に城のさまざまな場所へ行くことができる。100年後の世界では、正面の大きな扉は瓦礫によって埋もれている

▶ゼルダの部屋

本丸より西側、1段低い場所にある。荒廃はしているが、鏡台や天蓋付きベッドなど、非常に女性らしい家具が多く見られる。また、自室でも研究にいそしんでいたこともうかがえる

▶ゼルダの研究室

ゼルダの部屋から螺旋階段を登って離れへ行くと、この研究室へたどり着く。古代遺物や植物のサンプルが雑多に置かれており、ゼルダ姫がここで熱心に研究していた様子が想像できる。100年後の現在は植物が育ち、離れの塔の外側にまで広がっている

◀塔外観

100年間放置され、埃にまみれている。また外から入ってきている枯れ葉が、時間の経過を感じさせる

DESIGNER'S NOTE

　離れの塔の研究室は本来は見張りのための塔でしたが、当時もう使われておらず父の目に付きづらいため、ゼルダ姫はこちらの部屋を使って研究に精を出していたという設定で作っています。なかなか力が発現せず孤独に苦しみ、城で孤立していた彼女の境遇を離塔という形で表現しました。しかしそんな状況でも腐ることなく自分にできることを探して戦い続けていた様子が、さまざまな研究に取り組んでいた形跡から読み取れるかと思います。ゲーム中ではここで彼女が研究をしていた「姫しずか」が一輪咲いているのが見られます。これは襲われた城の中で1人孤独に戦うゼルダ姫をイメージしています。また、ゼルダの部屋はスケッチだとベッドが原型をとどめていますが、敵との戦闘にジャマだったのでさらに破壊して歩きやすいようにしたという裏話もあったりします。この部屋からのびている室内への廊下は、道が瓦礫で埋まっているのでゲーム中では確認できませんが、本丸の中まで室内のみを通ってアクセスできるようにレイアウトされています。

【Structural Art　原 義和】

▷ 鐘楼
展望室をさらに上へ行った場所で、巨大な鐘が吊さ
れている。下の鎖を引けば鳴る機構が備わっていた

▷ 英傑の間
謁見の間の上部。実際はここも吹き抜けになってお
り、謁見の間の様子を見ることができる。100年後
のハイラル城では厄災ガノンの繭や怨念によって陽
が入らず、薄暗い部屋となっている

▷本丸の展望室
英傑の間よりもさらに本丸を登っていくと、この展望室へ行き着く。現在も他と比べると損傷が少なく、中央ハイラルとその周囲を一望できる

▷謁見の間
本丸の正面、または背面入口より入ると見えるのが、この謁見の間である。正面の階段を上ると、王の座る玉座がある。100年後では天井に厄災ガノンの繭がある

▷検討稿

中央床

中央ハイラル 247

▶地下空洞

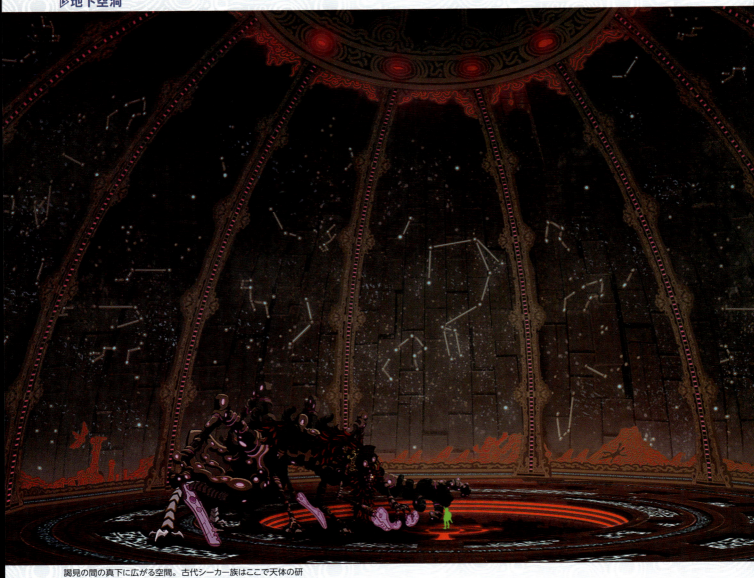

謁見の間の真下に広がる空間。古代シーカー族はここで天体の研究をしていたと言われており、半円形の壁面には数々の星座と、下面にはハイラルのさまざまな地方のシルエットが描かれている

▶地下空洞 床

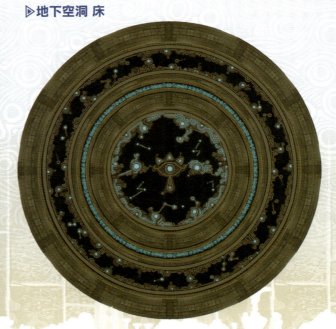

DESIGNER'S NOTE

ここの部屋は、最後の魔獣ガノンとの決戦がダイナミック感を重視したシンプルなものであったため、戦闘という意味では実質最終決戦の場所でした。この後に移動する広く明るいハイラル平原での戦いがより映えるように、こちらは対照的に狭く暗い空間にデザインしており、ハイラルの夜をイメージしています。壁の下部にはハイラル城を中心としたときの各方角にある土地を描いていて、それは星の方位を見るための指針として描かれている設定なのですが、遊んだ人にこれまでの冒険を思い出してもらいつつ、ここがこの世界の中心で物語の終着点であるということを感じてほしいという狙いでデザインしています。 【Structural Art 原 義和】

OTHER SPOT
中央ハイラル

▷サトリ山
中央ハイラル西部、ゲルド地方にほど近い場所に位置している中規模の山。中腹には美しい桜と泉がある程度で人が訪れることはほとんどない。この泉は特定の日、特定の時間になると神秘的な光に包まれる。この時間、山のヌシ(P.151)がこの泉で休息を取り、たくさんのルミーたちも姿を現す。だが、人の気配がすると山のヌシたちはすぐに逃げだし、いつものサトリ山に戻ってしまうのである。

▷迷いの森
コログの森の周囲に広がる、うっそうとした森林地帯。顔のような穴が空いた不気味な樹木が多く生えており、常に不思議な霧に覆われていて視界が遮られているため、動物なども多く生息している。また、正しい道を進まなければ霧に包まれて森の入口まで戻されてしまう。
　祠を見つけるための3種のコログのしれんもまた、コログの森の外れから向かった迷いの森の中で行われる。

▷朽ちた千年樹
ハイラル城下町より南西の方角。過去、雄大な枝振りを誇っていた大樹があった場所。今も残されている木の幹からも、その大きさがわかる。100年後のハイラルでは幹の周りが湖のようになっており、幹まで簡易的な橋がかけられている。

山の麓に広がる、のどかな平原
ハテール地方

ハイラルの南東に広がる地域。周囲を高い山に囲まれており、切り立った崖が多く高低差のある地形となっているのが特徴。比較的穏やかな気候であるため暮らしやすく、シーカー族の住むカカリコ村とハイリア人が住むハテノ村の、2つの集落がある。しかし、双子山周辺は大厄災により壊滅状態にあったらしく、復旧した現在でもクロチェリー平原には魔物や朽ちたガーディアンの姿を多く見かける。

← カカリコ村

山間に構えられた、シーカー族の集落。大妖精クチューラの加護の下に作られたとされる。農業を営んで生活しており、中でもヨロイカボチャは名産品。また、「忍耐」と「繁栄」の象徴である梅の木を一族の境遇と重ね、村の守りとして大切にしている。

▷ 全景 検討稿

実際の画像

・寂れた田舎。 廃墟、枯れた田圃があり、一部さみしい感じ。
・貧乏なイメージ、石葺き屋根、ペイントは極力ない。
・狭いコミュニティーのため表示は一つもない。
・溜池の脇に柳。 夜は月が池に反射し、柳を怪しくライトアップ。

・墓と地蔵が一緒になったようなものがそこらじゅうにある。（彼岸花を添えて）
・気持ち悪いカカシが立っている。（武器になったり？）
・裏口（あるかわかりませんが）をドデカイ門が塞いでいる。
・とにかく質素、かつ、有事の際には身を隠す場所が多くある
・夜になると彼岸花が柔らかく光り、道を照らす。

DESIGNER'S NOTE

ハテール地方には今作の基本となる、滅びた世界、風でそよぐ草、生き残った人々による牧歌的な暮らし…これらの世界崩壊後の人の営みのイメージを作り上げるための要素が詰め込まれています。さらにはこれらの絵を内包しつつ「歩いているだけで面白い地形」を目指した苦労もあり、思い出深い地方です。また、プロジェクト最初期から今回の『ゼルダ』では「倭」の文化をどこかに作り上げたいと考えていました。そこで、倭=忍び=シーカー族の村、という構想に至ったのがカカリコ村の成り立ちです。日本の里山や棚田をモチーフとして村を構成し、また忍者のイメージからガマをモチーフにした石像（P.252）などがあります。

【Senior Lead Artist：Landscape　米津 真】

▷ハゴロモ湖・滝

▷道祖神像　検討稿

ランプ

口が開くカエル

252

▶民家・内部　検討稿　　　　　　　　　▶民家・外観

▶宿屋　検討稿

▶コッコの家　検討稿

▶共同炊事場　検討稿

ハテール地方　253

▷インパの屋敷・内部　検討稿

インパ家案
いろんなオブジェクトが雑多に置かれていて
お札が貼られている

実際の画像

▷パーヤの部屋　検討稿

実際の画像

■インパ後継者の屋根裏部屋

勉強家で本がたくさん置いてある（積んである）
本にはしおり（付箋）が大量に挟まっている
集会用の座布団のストックが置いてある

外観の窓も室内デザイン窓に調整

掛軸（一文字）

カエル置物をブックスタンドにしている（でも本が多すぎて機能していない）

ハシゴ

弟子用寝床
笠や衣装など
雨乞いの道具

▷インパの屋敷・外観　検討稿

実際の画像

西ハテール

真っ二つに割られたような大きな山・双子山と、その麓には大小の池を持つ平野が広がる。東には大厄災からハテノ村を守ったとされるハテノ砦がそびえ立つ。門の前には朽ちたガーディアンがいくつも並び、激しい攻防の跡が残っている。

▶ハテノ砦

■破壊された関所_破壊後

■破壊された関所_破壊前

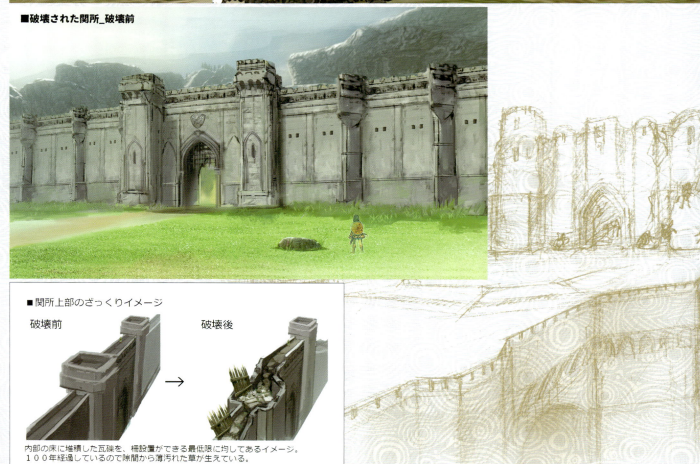

■関所上部のざっくりイメージ

破壊前 → 破壊後

内部の床に堆積した瓦礫を、柵設置ができる最低限に均してあるイメージ。
１００年経過しているので隙間から薄汚れた草が生えている。

▶カカリコ橋

壁
そこそこきれいに揃っていない
ブロックを積み重ね、
砂等で隙間を埋め塗り固めて
作った壁。
風化により上塗りの砂が落ちていて
ブロックの隙間がよく見えるところも
所々にある。
全体に苔むしている。

床
正方形に近い小さめのブロックを敷き詰めている。
大変よく苔むしている。

中央の左右に突き出している部分
草が詰まっている

実際の画像

▶双子山　検討稿

■双子山アイデアラフ1
・地層が見える隆起して割れた地形

↓分割前の地形の繋がりが感じられる形状

ハテール地方　257

← ハテノ村

ハテール地方の東端にある、のどかな集落。中央ハイラルから遠く、ハテノ砦での防衛が成功したため大厄災の被害を免れた。農業のほか牧場も営み生活している。リンク自身も、染色屋で服の色を変えたり、サクラダ工務店から家を購入できたりと、さまざまな施設を利用できる。

▷全景　検討稿

↓見晴らしの良い高台でサンシェードの下で食事をする文化的生活
↓クレーンは下から荷物や家畜を上げるのに使う

別の頂から荷物を運ぶリフト↓

←↓風車で水を絶えず汲み上げている

バランスロックの隙間に住居→

実際の画像

・牧場と畑のある自給自立集落

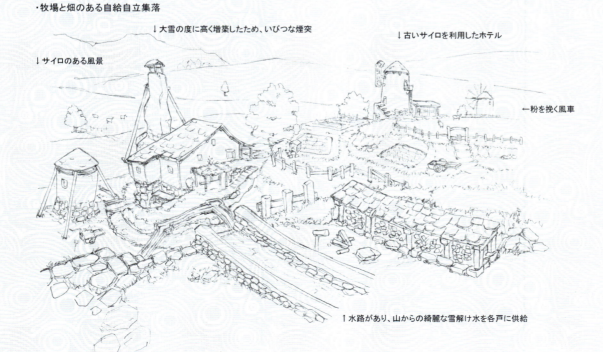

↓大雪の度に高く増築したため、いびつな煙突
↓古いサイロを利用したホテル
↓サイロのある風景
←粉を挽く風車
↓水路があり、山からの綺麗な雪解け水を各戸に供給

258

▷ゲート（入口）

▷染色屋

▷共同炊事場

▷サイロ　検討稿
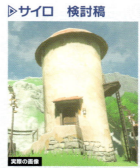
実際の画像
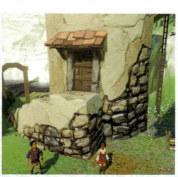

ハテール地方　259

▷ 民家・外観

▷ 民家・内部　検討稿

・壁の厚み部分
※必要であればもう少し厚めのほうが良いかもしれません

実際の画像

▷ 家具

▷ 宿屋・外観

▷ 宿屋・内部

▶全景　検討稿

ハテノ古代研究所

ハテノ村の先にある、小高い丘に作られた研究所。中ではプルアと助手のシモンが研究に勤しんでいる。研究所の上に併設されているのはプルアの部屋。黒板や学習机が置かれ、学校の教室のような雰囲気になっている。

▷正面入口

▷望遠鏡

▷階段前アーチ

▷プルアの部屋・外観

ハテール地方　263

▷内部

▷プルアの部屋

OTHER SPOT
ハテール地方

▶ **サイハテの島**

その名の通り、最も果てにある島。魔物が棲み着いており、ウオトリー村の漁師は近づかないようにしている。島に足を踏み入れれば、武器を持たず裸一貫で魔物から宝珠を奪う試練が始まる。

▶ **カリン高原**

ハテノ砦の東にある高原。ノッケ川の上空にせり出すような形になっていて、地面に空いた複数の穴から下層の川のほとりに降りられる。天然の2層構造になっている、珍しい地形。

▶ **キタノ湾**

ハテノ村から続く道を進んだ先にある、岩礁地帯。沖に立つ岩の柱には古の詩が残されており、古の勇者が厄災に備えた宝が眠るという。上空に舞う大量のウミカモメも景観ポイント。

Designer's Note

ハテノ村は、今作で目指したイメージの標準となる村としてデザインされました。点在する家々は同じハイリア人の住むハイラル城下町（P.226）と建築様式が似ていますが、要所要所に石を使った建築にすることで地方色を演出しています。また染色屋（P.259）を村の中央に配し、日本の伝統工芸における原風景を足すことで欧風に偏りがちなイメージに変化と色味を加え、どこかにありそうだけどない風景を演出しました。ハイラル復興を願うサクラダ工務店の家、どこかイジけた姿の悪魔像（P.261）…盛りだくさんの村ですが、ハテノ村と言えば…そう、ハテノ古代研究所です。家中に散乱した書類や古代遺物のガラクタ、その象徴とも言える屋根の上のガーディアンは古代遺物を愛してやまない所長であるプルアの人となりを表すものとしてデザインしています。1Fの床に、白線があることに気づかれたでしょうか。周辺には縄でまとめられた書類も…。散らかし放題で天才肌の所長に対し、きっちりとした性格の助手…「ここからは私（シモン）のスペースです！」という、ふだんの2人のやり取りが聞こえてきそうです…今作では室内をデザインするにあたり、家単位でそこに住む人の人となりがわかるように気を配りながらデザインを行っています。

【Lead Artist：Structural　竹原 学】

豊かな水に恵まれた、ゾーラ族の住む地
ラネール地方

ハイラルの東側に位置する地域。古くから雨に恵まれ水源に富んだ地であり、東の貯水湖から伸びるルテラー川、ゾーラの里から流れるゾーラ川を通して水が流れ、ラネール湿原を形成している。また、ゾーラの里の南部に広がるラネール湾も含めてラネール大水源と呼ばれ、ハイラルの水源を担っている。そんな豊富な清水を求めてこの地にやってきたゾーラ族が集落を作り暮らしている。

ゾーラの里

1万年以上前、清水を求めたゾーラたちによって作られた集落。巨大な魚の形をしたモニュメントが中央に構え、その下から湧き出す水が水路を通って里中に流れている。鉱石にも恵まれた地であったため、里全体が1つの彫刻と称されるほど美しい。

▷ 全景　検討稿

ゾーラの洞くつ

玉座につながる通路

▶全景　検討稿

実際の画像

> ### Designer's Note
> 　ゾーラの里はデザインを起こすにあたり、シリーズの過去作においてそうであったゾーラ族の「ジャブジャブさま信仰が現在も建築物の形として残っている」というコンセプトからその象徴である巨大な魚像を、またそこからゾーラの里は神殿風の建物であるというデザインの指針を決めました。初期のイメージではあれほど里中に水は張られていませんでしたが、ゾーラ族はきっと水の中にいるときが一番安心できる！　その里なのだからいっそ里中に水を張りましょう！　となり、より魚の亜人が住む町としてゾーラ族の民族性や生活サイクルが固まり、その演出に必要な地形の施設のデザインが決まり、現在の見た目と施設を備えたゾーラの里へと形作られていきました。ゾーラ族が石版文化であるのは、紙の本だと水に濡れたらすぐだめになるから…。単純な発想ですが、ゾーラの里に限らず訪れたプレイヤーが違和感を感じないよう、そこに置かれる小物にいたるまで細心の注意を払ってデザインしています。
> 【Lead Artist：Structural　竹原 学】

ラネール地方

▷中央広場　検討稿

▷大広間プール　検討稿

▷ゾーラ大橋　検討稿

▷ゾーラ大柱　検討稿

ゾーラ大柱

ラネール地方　271

▷彫刻工房　検討稿

▷彫刻工房・工具　検討稿

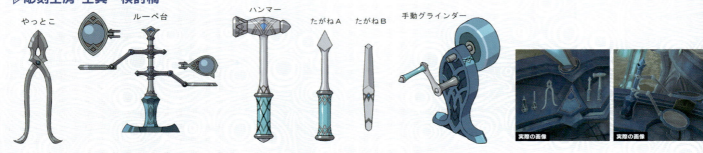

やっとこ　ルーペ台　ハンマー　たがねA　たがねB　手動グラインダー

▷宿屋　検討稿

▷ベッド　検討稿

▶玉座の間　検討稿

実際の画像

ラネール地方　273

⬅ ラネール大水源

ハイラル全土でも最も大きな水源地帯。ゾーラの里周辺は標高の高い台地が半円状に連なり、東の貯水湖のほかに小さな湖が点在している。また南部にはラネール湾とホロン湾があり、ホロン湾には古の詩が伝わっているという。

▷ **東の貯水湖　検討稿**

神獣ヴァ・ルッタが暴れていた貯水湖。1万年以上前に、ハイラル王家とゾーラ王家の共同で造られた。湖に突きだした人工の足場は5か所あるが、ここに載せている検討稿はゾーラの里から一番近い場所。階段を上がった先にはベッドルームがあり、体を休めることができる

▷ **階段　検討稿**

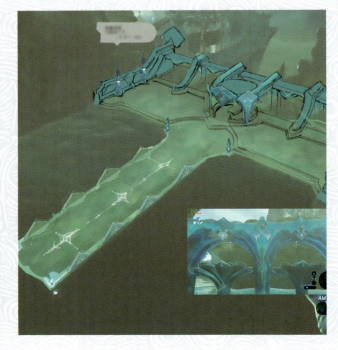

▶ベッドルーム　検討稿

ラネール地方

ラネール参道

カカリコ村の東からからラネール山の麓までをつなぐ参道。台地を挟んだ谷間にあり、中央は水で浸されている。ところどころ崩壊の跡が目立つが、石造りの美しい遺跡が多く残されている。なお、検討段階では「蜘蛛の巣山」と呼ばれていた。

▶全景

蜘蛛の巣山案

▶門　検討稿

実際の画像

▷ 全景　検討稿

蜘蛛の巣山案

OTHER SPOT
ラネール地方

▷ ラネール湿原

ゾーラの里の南西、平原地帯に広がる巨大な湿地。浅瀬に覆われた中にいくつか島があり、島同士が足場でつながれている。中央の大きな島には、荒らされた集落の跡も残されている。

▷ 試しの岬

雷獣山の山頂にある小高い崖。ここから貯水湖へ飛び込むことで、ゾーラの戦士としての勇気を試している。なお、雷獣山にはライネルがおり、合わせて度胸試しのスポットとなっている。

▷ ラネール山

ゾーラの里の南にある、極寒の山。知恵の神ネール名を冠した聖なる地で、「齢17に満たぬ者 知恵無き者として 入山を禁ずる」というしきたりが伝わっている。山頂には知恵の泉がある。

紅葉の美しい高原
アッカレ地方

ハイラルの北東に位置する地域。アッカレ砦は大厄災の際に最後までハイラル兵が抵抗した場所であり、ハイラル王国が滅んだ最後の地と言われている。そのため集落などはなく、小高い台地に構えられたアッカレ古代研究所にロベリー夫妻が暮らすのみ。紅葉が美しい、手つかずの自然が多く残っている。だが、後にサクラダ工務店のエノキダとリンクの活躍によりイチカラ村ができることになり、各地の種族が移住してくる。

アッカレ古代研究所

ガーディアン研究の第一人者・ロベリーと、その助手であり妻でもあるジェリンの研究所。ロベリーが勇導石を改良して作ったシーカーレンジがあり、古代兵装が作れる。

▷ **外観　検討稿**

望遠鏡部分
延びる、回転する、上下可動も

入り口ではガーディアンくん（模型）が笑顔でお出迎え（頭が回転する）

実際の画像

■ 古代文明研究所アイデアラフ1
・廃墟となった灯台を利用した建物で遺物を集め古代文明を研究している

←巨大な望遠鏡

←望遠鏡の先っぽが博士のお気に入りの場所

↓建物の周りに立ててある板状の遺物は
　古代エネルギーの実験での暴走を抑える安定機（スタビライザー）、
　もしくは空間から古代エネルギーを生み出す発電パネル

↓卵状の遺物の中には古代文明の様々な技術が
　当時の言語で記されており、それを解析しようと試みている

▷外観　検討稿

実際の画像

風車接続部

▷内部　検討稿

古代文明研究所
時計風な室内のデザイン

時計のように、時間によって、開ける部屋が違う。

実際の画像

実際の画像

望遠鏡の接眼部が
この部屋に繋がっている

アッカレ地方　281

▶クレーン　検討稿　　　　　　　　　　鶏の頭っぽいシルエットを強調した案

とさか
くちばし

実際の画像

▶望遠鏡　検討稿

実際の画像
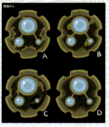

▶望遠鏡の台座　検討稿

ここのハンドルやクランクを回して操作する

実際の画像

▶観測台　検討稿

実際の画像

282

▷シーカーレンジ（チェリーちゃん）

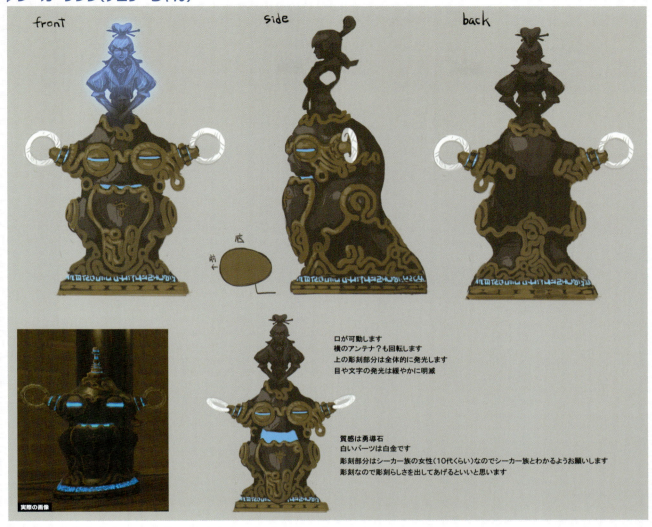

▷古代炉　検討稿

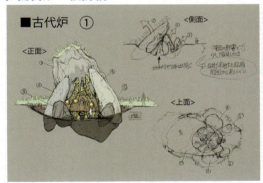
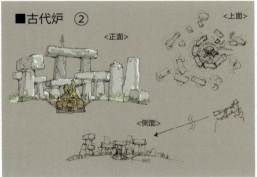

▷カマドの芯・青い炎の台座　検討稿

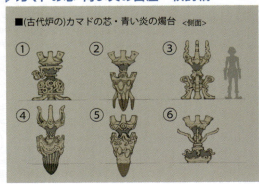

アッカレ地方　283

▶ イチカラ村

アッカレ湖に新しくできた村。ハテノ村から派遣されたサクラダ工務店のエノキダにより一から作られていく。リンクはその手伝いとして素材や各地から人を集め、村が徐々に賑わっていく。ハテノ村にあるものと同様に、カラフルな外壁の民家が特徴。

▷ 噴水　検討稿

実際の画像

鐘塔裏側→

▷ 民家　内部

▷ ランプ　検討稿

実際の画像

DESIGNER'S NOTE

サクラダ工務店の建築は、ファンタジー世界に似つかわしくないコンテナを積み重ねるような現代的工法をとっています。これは滅亡によって木材資源と職人が失われたハイラルでサクラダが編み出した、街の復興を目指すという想いが込められたデザインなのです。

【Senior Lead Artist：Landscape　米津 真】

「サクラダ前のめり積み工法」…棟梁サクラダが編み出したハイラル史上かつてない建築工法。四角四面の出来合いの部屋を積み上げて固定したら完成、という斬新さ。積み上げて固定するだけだからウッドデッキや花壇もあなたの思いのまま…。なんと町の灯りはサクラダ工務店発祥の地ハテノ村から直送。成人したゴロン族が1人いれば、誰でも簡単に組み立てが可能です。間取りも自由に簡単レイアウト。もちろん解体も簡単、その後の持ち運びも自由自在。棟梁サクラダはこの「サクラダ前のめり積み工法」でハイラルを文字通り"建て直せる"のでしょうか。

【Lead Artist：Structural　竹原 学】

▷ゲート　検討稿

実際の画像

▷民家　検討稿

実際の画像

OTHER SPOT
アッカレ地方

▷コーヨウ台地

　カラフルに色づいた木々が並ぶ台地。アッカレ古代研究所には欠かせない古代炉がある。紅葉した木々はミナッカレの滝周辺から奥アッカレ平原まで広がっており、アッカレ地方の景観を特徴づけている。

▷マキューズ半島

　アッカレ海にある、渦を巻いたような形をした砂浜。景観が良いが、魔物がいるため散策には注意が必要。古くより伝わる言い伝えがあり、渦の中心へ古の球を運ぶと勇者のための祠が現れるという。

▷ドクロ池

　北西の谷間にある小さな池。上空から見るとドクロのような形をしているが、目の部分の岩は高さにかなり差がある。高いほうの左目の岩の頂上には祠があるが、たどり着くには体力と工夫が必要。夜に初めてドクロ池を訪れると、右目の岩の上でキルトンがマモノショップ（P.333）の開業準備をしており、一度出会って以降は、夜にハイラル各地の集落付近でマモノショップが利用できるようになる。

ゴロン族の住む灼熱の岩山
オルディン地方

ハイラルの北東に位置する、火山のデスマウンテンを中心した灼熱の地帯。その熱さは、地面に素材を置けば勝手に燃えてしまうほど。散策するためには耐火装備が必要となる。オルディン峡谷を進むと、ゴロン族が住むゴロンシティがある。その道中にある南採掘場では採掘会社ゴロン組の組員が鉱石を掘り出している。山腹にはところどころに温泉があり、入れば疲労回復の効果がある。

◆ オルディン峡谷

デスマウンテンを囲む、ゴツゴツとした岩の道。あちこちから溶岩が噴出しており、池や川となって流れているので足場が悪い。道中にはゴロン族が作ったと思われる鉄の橋や看板が設置されている。

▷オルディン峡谷・全景　検討稿

▶オルディン峡谷・道中　検討稿

▷ロース岩　検討稿

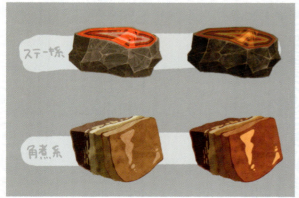

▷ロース岩

オルディン地方　289

ゴロンシティ

デスマウンテンの五合目にある、ゴロン族の住む集落。灼熱の地のため、ハイラル人が訪れることは滅多にない。家具などは燃えない鉄や石でできているが、不器用なゴロン族たちが作っているためか形は若干いびつ。トロッコを使って移動できる。

▷ ゴロンシティ・全景　検討稿

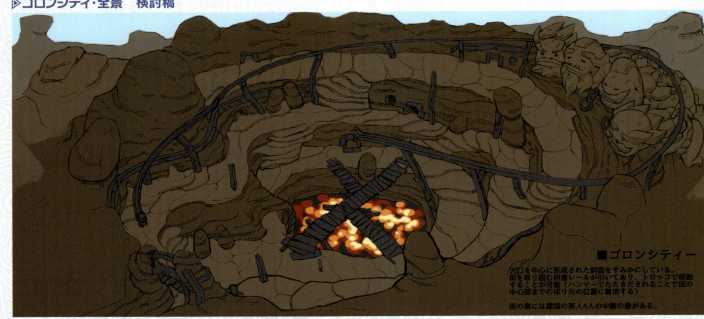

■ゴロンシティー
火口を中心に形成された斜面をすみかにしている。街を取り囲む用鉱レールが引いてあり、トロッコで移動することが可能（ハンマーでたたきだされることで街の中心部までのぼり元の位置に着地する）
街の奥には建国の英人4人の中腰の像がある、

ゴロンシティ

▷ トロッコ・レール　検討稿

▲鉄骨を滑らかにカーブさせる技術がないため直線のレールを角度を変えて複数つなげることによりカーブを作っている。
走行中のトロッコは少しのカーブでもカクンッカクンッと曲がる

鉄柱と敷板は太い針金で固定

実際の画像

加工が面倒なので、なるべく捻じ曲げて作った鉄製の門。
実際はハイリア文字

▶ ゴロンの家

デコレーション：
古いレール

2階のバルコニー

292

▶ゴロンの家・内部　検討稿

皿（洗う必要がない、ゴロン族にとっては便利！）

飲み物のため
素材：石

お風呂。
一部の家しか持ってない。
蒸気した水が上の布に
たまって、またお風呂に落ちる。
リサイクル！！

窓（閉じる状態）
雨の時、水を集めるときに
使われている。

炭鉱で働く民族なので、
工具を私生活にも使っている。

はしごは
ゴロン達によく使われている。

寝られないとき、
壁に落書き（インクではない、鉄で削ってる）

←石串

食べ物がお風呂の周りに
用意されている。

実際の画像

▶家具

コップ
酒ビン
おわん
やかん
おもちゃA
フロントベル
花ビン

▶遊具

■ゴロンシティ 民家小物_03（娯楽：ゴロン版将棋）

オルディン地方　293

▷族長の家・外観

▷族長の家・内部

▷宿屋　検討稿

実際の画像

寝床に布を取り付けるなら、
空を見て寝たいから布色が空色！
落書きも太陽か空関係の落書き。

3段ベッド

弾力的

1番したのベッドは
石のプール系のベッド

▷来客用ベッド

▷ベッド　検討稿

▷鍛冶屋

Designer's Note

デスマウンテン（P.296）は人々にとって過酷な環境ですが、ゴロン族にとっては生活の場。禍々しいだけのイメージにはせず、山の中心に向かって突き出す巨大な石器を思わせる、奇岩のシャープなシルエットとドロッとした溶岩が作り出す丸みを帯びたシルエットの対比を楽しんでもらえたら…とデザインしました。力強さと抜けた部分を併せ持つデスマウンテン…ゴロン族に合っていると思っています。
【Landscape Art　泉 洋平】

ゴロンシティは鉄と石を愛する鉱夫ゴロン族の町。その町の長である族長ブルドーの家は、男の中の男はその住処に巨大な岩石をいただき、マグマの灼熱すら心地よい…そんなゴロン族の象徴としてデザインしました。しかしただ質実剛健な鉱夫というコンセプトだけではゴロン族独特の愛嬌は表現できず、可愛いものが好きという相反するモノ（おもちゃなど）を組み合わせることで、少し気の小さい面のあるゴロン族を表現しています。
【Lead Artist：Structural　竹原 学】

オルディン地方

➢ デスマウンテン

ハイラル全土でも最高峰の活火山。オルディン峡谷よりも熱気が強い。山頂付近ではより貴重な鉱石が採れるためゴロンシティのゴロン族たちが採掘を行っていたが、ルーダニアが暴れ始めたことで立ち入りができなくなっている。

▷オルディン橋

▷オルディン橋　検討稿

根本

表側

▷大砲　検討稿

▷デスマウンテン・全景　検討稿

OTHER SPOT
オルディン地方

▷ど根性ガケ

　デスマウンテン北部にある、垂直にそびえ立つ岩山。ゴロン族のド根性3兄弟が、一人前になるため日々トレーニングに励んでいる。ガケ登りで根性を見せると、4人目の兄弟として認められる。

▷ゴロン温泉

　デスマウンテンの七合目にある温泉。活火山の地熱によりちょうど良い温度に暖められている。しかし、ゴロン族にはヌルいらしい。疲労回復の効果があり、浸かればみるみる疲れが取れていく。

▷北の廃坑

　かつて大砲を使って爆破し鉱石を採っていた採掘場。現在はルーダニアが暴れ、溶岩や魔物が増えたため立ち入り禁止になっている。組長愛用の巨大な大砲があり、バクダンを使って発射できる。

荒野と雪山の地
ヘブラ地方

ハイラルの大地の北西に位置する山岳地帯。隣接する中央ハイラルとは北東から南西へと広がる巨大な谷「ククジャ谷」で分断されている。

主に南側はタバンタ辺境と呼ばれる草木が少なく岩や山肌が露出した荒野、北側はヘブラ山を中心とした雪深い山脈地帯になっており、全体的に標高が高めで気温が低い。リトの村が存在するが、他の地方と比較すると住人や旅行者などが少ない地域である。

リトの村

ヘブラ地方の中心部、リリトト湖上に築かれたリト族たちの集落。湖の中心に立つ巨大な石柱の周囲を取り囲むように住宅が並び、階段でつながっている高低差の大きい構造は、空を飛べるリト族ならではのもの。他の種族にとっては不便な面も大きいため、村を訪れる者は少ない。

▷全景

奇岩の上に止まった神獣ヴァ・メドーは止まり木に止まった鳥のように立ち上がった形に。また祠チャレンジにも関わる中央の穴はハート型に変更されている

実際の画像

299

▶全景　検討案

300　検討案

リトの村ラフ

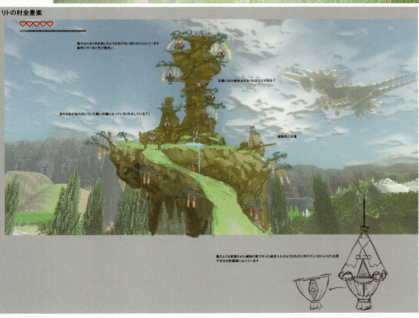

リトの村全景案

リトの村
デザイン案

Designer's Note

　大空を自由に飛びまわるリト族の村は、水平に広がるのではなく垂直に伸びる集落にしようというコンセプトのもとデザインされました。村の家々が地面に接していないのも、重力から開放された人々という意味合いからです。開発初期には村の中に現在の足場は付けていなかったのですが、さすがにそれではゲームデザイン的な観点で良くないということで現在の形になりました。鳥かごのような家に住んでいるのはリト族のデザインが鳥の姿をしているから…というと安直かもしれませんが、むしろその民族性を演出するのに分かりやすいこと、おそらくは『ゼルダ』シリーズ以外ではできないデザインなのではというところで思い切って取り入れました。さらにデザインを推し進めていく中で、この村の意匠を決めていく際に「コンドルは飛んでいく」というアンデス地方の民族音楽が私の頭の中で繰り返され…言わずもがなですが、この村の意匠としてカラフルな布が多く使われているのはここから来ています。風車と合わせて「風」を表現するのに相性が良かったというところも大きいです。　【Lead Artist：Structural　竹原 学】

▷住宅

▷住宅　検討稿

階段っぽいもの

◆リト_家案_一般室内

・鳥の巣風ベッド（寝床）
・止まり木兼、寝床までの階段
・鳥型のツボ

壁がなく開放感にあふれたリトの村の住居は鳥かごをイメージしてデザインされた。また、村をつなぐ階段などにはリト族が飛び立つためのせり出しが随所に設置されており、リト族の村ゆえの設計がなされている

◆リト_家案_武器屋

▷武器屋　検討稿

リト族の戦士が得意とするという弓を購入できる武器屋の検討稿。本編では最終的に武器は店では売買されないものになったため不採用となり、幻の存在となった

▷ゲート（入口）

短い
長い

▷ゲート（階層）

階層ごとに羽根の数が少なくなる　色も変わる

▷村長の家

■リト族長の家 内観

▷家具・小物類

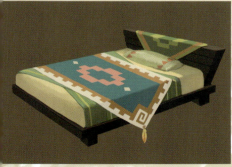

⇐ タバンタ辺境

ヘブラ地方の南部地域。南側は樹木が少なく岩肌が露出した渓谷地帯であり、北上するにつれて中規模の湖や林が点在する。この地の馬宿では薪を集めるための林業も行われている。

▷タバンタ大橋
ククジャ谷の南にかかる巨大なつり橋で、付近に建つ馬宿の名前の由来にもなっている。木製のつり橋としてはかなりの長さを誇るが、谷に吹く風によってか、老朽化が進んでいる

旗が破れた跡

▷古代石柱群　検討稿
タバンタ辺境最南端の崖の上に存在する遺跡群。レリーフが刻まれた石柱が数多く存在するが、現在は魔物も徘徊している。奥地には試練の祠もあり、100年前にはゼルダ姫も調査に訪れていた

304

手すり部の原型

布模様

旗模様

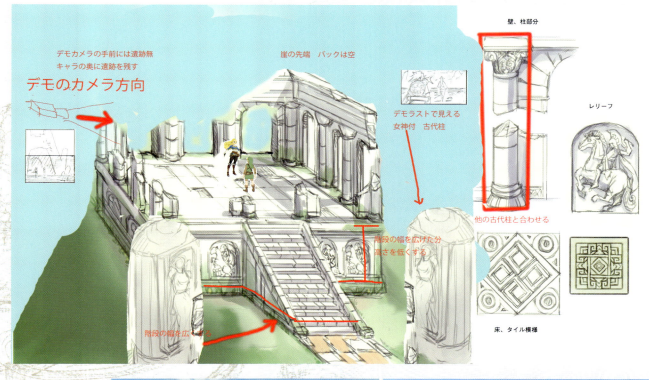

デモのカメラ方向
デモカメラの手前には遺跡無
キャラの奥に遺跡を残す

崖の先端　バックは空

壁、柱部分

デモラストで見える
女神付 古代柱

他の古代柱と合わせる

レリーフ

階段の幅を広げた分
高さを低くする

階段の幅を広くする

床、タイル模様

実際の画像

実際の画像

ヘブラ地方　305

忘れ去られた神殿

ククジャ谷の北端にある、谷を利用して建てられた巨大な神殿。内部には無数の朽ちたガーディアンがおり、最奥には試練の祠と巨大な女神像が佇む。また、すべての祠の試練を乗り越えた勇者のための装備もこの神殿に眠っているという。

▷外観　検討稿

正面入口が崩れ、塞がっている。
入れる場所は本来は2Fバルコニーとして作られていた。

◆忘れられた神殿案

正面階段が倒壊している。

忘れられた神殿
デザイン案

地域一帯が地殻変動の影響で、
（災厄の影響？）
不安定な状態になってしまった。

実際の画像

実際の画像

実際の画像

DESIGNER'S NOTE

ヘブラ山の頂きの削られている部分は1万年前の厄災ガノンとの戦いで残された深い爪痕です。あえて景色の変化と人の住む気配を少なくすることで閉塞感や孤独感を感じられるように演出しています。
　　　　　　　　　　　【Landscape Art　泉 洋平】

忘れ去られた神殿は太古の昔幾度となく蘇り世界に厄災をもたらしたガノンとの戦いを起点とした、ハイラル王家にまつわる歴史や歴代の勇者たちの記録を後世に残す目的で建立された建造物でした。「長い年月の間に放棄され、今はその存在すら人々から忘れられた場所」というコンセプトで、開発当初は王家と縁の深い施設ということもあり「王家の谷」と呼ばれていました。ここのガーディアンもガノンに乗っ取られていることに変わりはないのですが、今回の大厄災でハイラル城から侵攻してきたものではなく、この施設を守る目的ではるか昔に配備されたものというイメージです。ハイラルの太古の昔を意味する建築として、力、知恵、勇気の3つの泉、ラネール参道などと同様に、過去作である『スカイウォードソード』の建築意匠を取り入れたデザインとなっています。　【Lead Artist：Structural　竹原 学】

▷ 内部　検討稿
■ 忘れられた神殿案

部屋全体が薄暗く苔生している
動くと周りの埃が舞う

OTHER SPOT
ヘブラ地方

▷ ヘブラ山脈

　ヘブラ地方のトレードマークであるヘブラ山と、それに連なる大小さまざまな山々からなる。盾サーフィンの名所として有名だが、険しい山道とほとんどやむことのない吹雪により遭難者も多い。山奥には雪山ならではの動物が生息しているほか、温泉が湧くスポットが多数存在する。

▷ タバンタ大雪原

　ヘブラ山脈の東側に広がる、ハイラル随一の広さを誇る雪原。ヘブラ山脈同様ほとんどの場合吹雪で視界を阻まれ全体を見渡せる日はまれ。北側に向かうにつれてライネルなどの凶悪な魔物もうろついているため、縦断や探索には注意が必要。

▷ 飛行訓練場

　ヘブラ山の麓にある、リトの戦士たちのための訓練施設。リーバルの要望で建設された。深いドーナツ状の谷に設営されており、布を広げればハイリア人でも簡単に空中に浮かびあがれるほど強烈な上昇気流が谷底から常に吹き上げている。
　リトの戦士はこの上昇気流を利用して、空中戦を想定した弓矢の訓練を行うとされており、村随一の戦士であるテバがその息子のチューリの訓練のために利用している。

広大な砂漠と岩山が連なるエリア
ゲルド地方

ハイラルの南西に位置する、岩山と砂漠が広がる地域。南部に広がるゲルド砂漠は昼夜の寒暖差が激しいが、モルドラジークなどの魔物やスナザラシ、ビリビリフルーツの実るサボテンなど、固有の動植物も多く見られる。砂漠の中にはオアシスも点在しており、砂漠の中央にある大きなオアシスの周辺にはゲルド族が集落を形成した。ゲルドキャニオンやゲルド砂漠などで隔離されているため、独自の文化が発達している。

ゲルド高地

ゲルド砂漠を囲むように連なる岩山。ヘブラ地方にあるヘブラ山と並ぶほど標高が高く、山頂部には雪が積もり白く染まっている。その周辺にはゲルド族ゆかりの遺跡や試練の祠などもあり、古の時代の名残が随所に見られる。

▷全景

ゲルドの街

ゲルド砂漠の中央にある、ハイラル最大の交易の街。掟によりヴァーイ（女性）しか立ち入ることができないため、住人はゲルド族の女性がほとんど。酒場や恋愛教室など、この街にしかない施設もある。王宮には訓練所がありゲルド族の兵士が鍛錬をしている。

▷ 全景　検討稿

実際の画像

実際の画像

DESIGNER'S NOTE

ゲルドの街はそれ自体が「独立した国家」、また「男子禁制の街」という特徴を持ち、街自体が王の居城という記号的な意味でのランドマーク、ゲームデザインとして街とフィールドを隔離する堅固な壁がそれぞれ必要でした。デザインのキーとなる水は「水源の所有は砂漠の民の権力の象徴」というコンセプトから、玉座の後ろにかつてゲルドの始祖が発見したであろう水源を…王の権力の象徴である水源から延びた水路を街に…そんな発想から街の成り立ちと水の関係を考え、この街のデザインの大枠は決まりました。ただこれではゲルド族の民族性を語るための演出が足りないと考え、恋愛教室や料理教室など日本では花嫁修業を連想させる施設と内装をデザインし、異性との接点が極端に少なかった彼女たちの少々頭でっかちな異性に対する感覚を表しています。砂漠の足としてスナザラシは身近な存在であり、族長であるルージュの私室にはそのグッズがありますが、彼女のスナザラシ愛を表現しつつ、グッズのデザインに子供っぽさを取り入れることで彼女の精神的な幼さを表しています。【Lead Artist：Structural　竹原 学】

▷街の水路　検討稿

外周は天然の岩を削って作った壁兼住居↓

←共同水場に屋根から水を滝のように供給

泉は一度、高い位置（族長の家）に上げられ、
そこから街中に屋根を通って各戸、各水場に供給される↑

水路が屋根の上にあるため、室内は
昼夜の寒暖差が抑えられて比較的過ごしやすい↑

←壁の上部はあえて不揃い

↑岩と岩の間は切り出した石材を使った壁

実際の画像

▷水路

▷水路　検討稿

ゲルド地方　311

▷民家　内部

▷酒場　外観

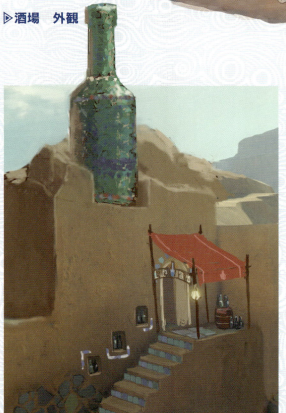

▷恋愛教室　外観

▷露店

▷アクセサリー店　内部　検討稿

実際の画像

▶レンタザラシ屋　検討稿

■レンタザラシ店入口レイアウト案

▶スナザラシグッズ　検討稿

313

▶ルージュの椅子と装飾　　▶王宮・謁見の間

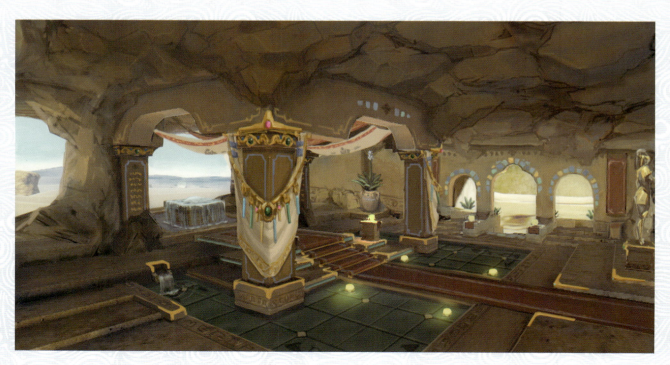

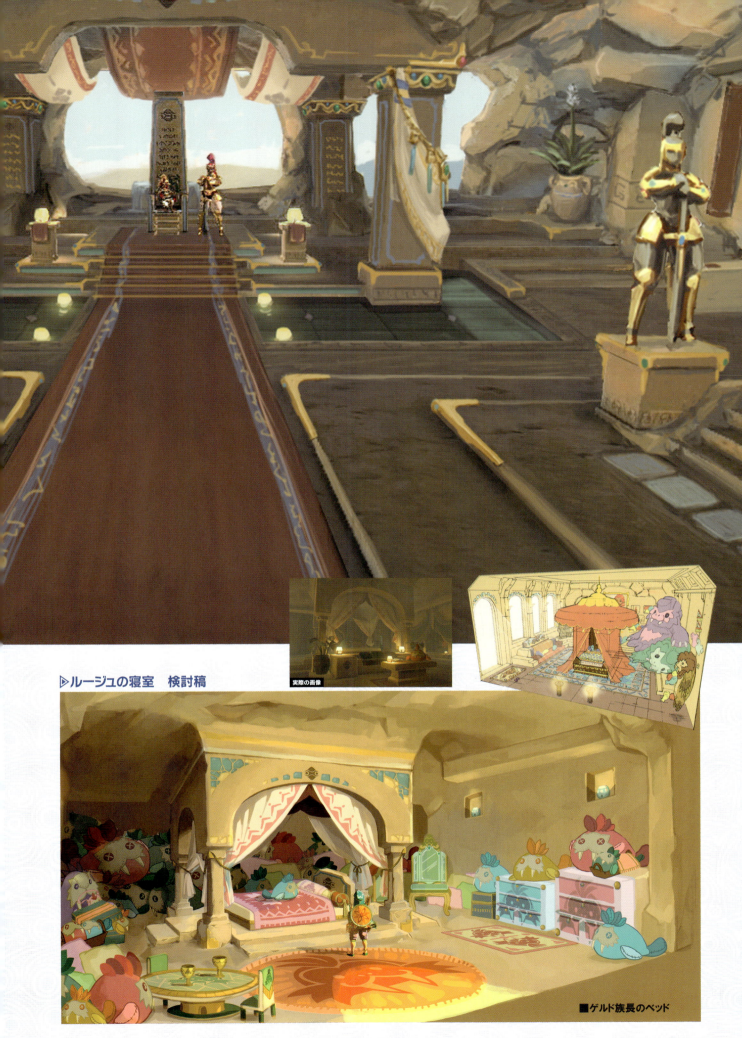

▶ルージュの寝室　検討稿

実際の画像

■ゲルド族長のベッド

ゲルド地方

ゲルド砂漠

南西に広がる砂地。砂嵐が吹き荒れている場所では遭難する恐れもあり、砂漠のエキスパートであるゲルド族も近寄らない。神獣ヴァ・ナボリスを見張る遺物観測所やオアシスに作られたカラカラバザールなど、ゲルドの街以外にもさまざまな施設がある。

▷遺物観測所

↑屋根の上を倉庫代わりにしている
（道具や食器など熱に影響のないもの）

↑自然に出来た開口部にもかわいいカーテン
庇のような布は浸食を遅らせられると考え取り付けたらしい↑

▷カラカラバザール・バラック

▷カラカラバザール・宿屋

ゲルド地方

▶北の氷室

▷東ゲルド遺跡

▷剣士の像

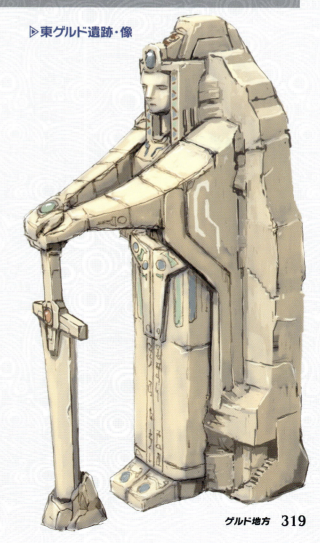

▷東ゲルド遺跡・像

イーガ団アジト

ハイラル王家から弾圧を受けたことでシーカー族から離反し、厄災ガノンを崇拝する暗殺集団となったイーガ団の隠れ家。ゲルド砂漠の奥地にある洞窟内に構えられており、隠し通路から内部へ入る。広間は和風な装いで、櫓の周りは赤い提灯が吊されている。

▷入口

▷広間

Designer's Note

　シーカー一族であるカカリコ村の人々と出自が同じイーガ団。その根城であるイーガ団のアジトのデザインもカカリコ村と類似した日本的なモチーフを基点としたデザインになっていますが、首領のコーガ様のとぼけた人柄…なんとなく憎めない、ある種陽気なキャラ設定から派生して日本の盆踊りや縁日といったイメージを取り入れています。コーガ様を囲んで大好きなツルギバナナを景品に夜ごと催しが行われているのでしょうね…。しかしながら勇者を付け狙うアサシンであること、厄災ガノンを崇拝しているという設定から、陰の存在である彼らの本拠地であるこのイーガ団のアジトも故郷や集落を持たない人々として、かつてゲルド族の持ち物であったこの遺跡を間借りした、いわゆる隠れ家というイメージでデザインをまとめています。
【Lead Artist：Structural　竹原 学】

▶コーガ様の部屋

ゲルドキャニオン

ハイラル王国とゲルド砂漠とをつなぐ唯一の道がある峡谷。岩肌に作られた足場はかつて発掘調査をする際に利用され、物資を運ぶための人力のエレベーターもある。100年前の発掘調査で神獣ヴァ・ナボリスが発見された。

▷全景　検討稿

▷足場　検討稿

▷エレベーター　検討稿

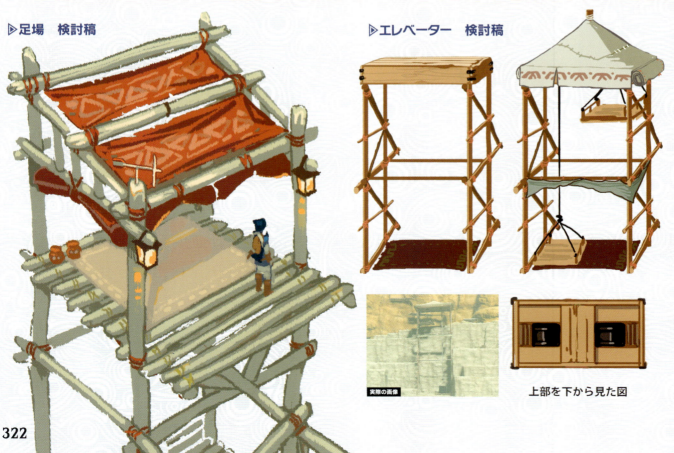

実際の画像

上部を下から見た図

■ゲルドの旗案
巨大な暖簾状の旗が
渓谷の両脇から生えている

実際の画像

実際の画像

OTHER SPOT
ゲルド地方

▷ゲルド山頂

　雪で覆われたゲルド高地の山頂部。大きな剣の形をした石像が刺さっている。これは、ゲルド地方に伝われる「七人の伝説」の都市伝説と言われる8人目の英傑像が持っていたものとの伝承が残されている。

▷スナザラシラリー

　スナザラシに乗って決められたアーチをくぐりゴールを目指す、ゲルド族の伝統競技。スナザラシラリー世界チャンプであるパフューの記録を超えれば、トロフィーを手にし新たな試練の祠が開かれる。

▷処刑場跡

　ゲルド砂漠の北西にある石柱群。ハイラルの遺跡とは模様が異なるため、ゲルド独自のものだと考えられる。現在は砂に埋もれており、詳細はわからない。この一帯にはモルドラジークが住み着いている。

小さな漁村のある南国地帯
フィローネ地方

ハイラルの南東にある、東西に広い地域。フィローネ海沿いに砂浜が伸び、その北部には巨大な木々がうっそうと生い茂るジャングルが広がる。亜熱帯地域のため、雨が降ることが多い。海岸沿いにある小さな漁村・ウオトリー村はこの地域唯一の集落。西部にはアラフラ平原やバメール平原などの平原が広がっており、その広さを活かして乗馬技術を競う馬障害物競走も行われている。

⚓ ウオトリー村

海岸沿いにある小さな漁村。フィローネ海やハテノ海で漁を営む漁師たちが暮らしており、海岸に停泊したよろず屋ボートでは採れたての海産物を売っている。ルピーを賭ける宝箱当て屋は、雨で漁に出られない漁師たちの娯楽施設となっている。

▷ **全景　検討稿**

- ↓なぎ倒されたヤシの木
- 船に囲まれた浅瀬は生けす↓
- ←所々に海苔が干してある
- 水上にロープで繋いだ木片→
- ↑倒れたマストを桟橋として利用
- ↑船の骨格にロープを渡して洗濯物を干している

325

▶よろず屋ボート

看板大きく

てんぷくしそうなので 船もうダルしたきく、横にたく

後ろにバランスよってるので前に大きいのぼりもしくは看板を前倒しに

Designer's Note

　フィローネは巨大なヤシやバナナの木、湿気の多い環境、またゾナウ文明の遺跡が多く残る地でもあり、中央ハイラルの草原のイメージとは違う熱帯のコンセプトでデザインされています。その熱帯を抜けた先にあるウオトリー村は、開発初期は寂れた漁村のイメージでしたが、中央ハイラルからは遠く厄災をまぬがれた村、寂れたイメージは似合わない！南の海といえばリゾートでしょ！ということでパラソルや色鮮やかな布がデザインされていきました。ところで村には宝箱当て屋がありますが、宝箱当てをする場所にしては不似合いに本がびっしり…たくさん知識を得た結果…彼には何か独自の哲学がありそうです。　【Lead Artist：Structural　竹原 学】

326

▶民家

フィローネ地方 327

樹海エリア

フィローネ海岸の北側に広がる地域。背の高い樹が生い茂るジャングルで、ところどころに遺跡の跡と思われる石像が残っている。樹海エリアの東側には広大なフロリア湖が広がり、そこを横断するようにフロリア橋がかかっている。

▷フロリア橋

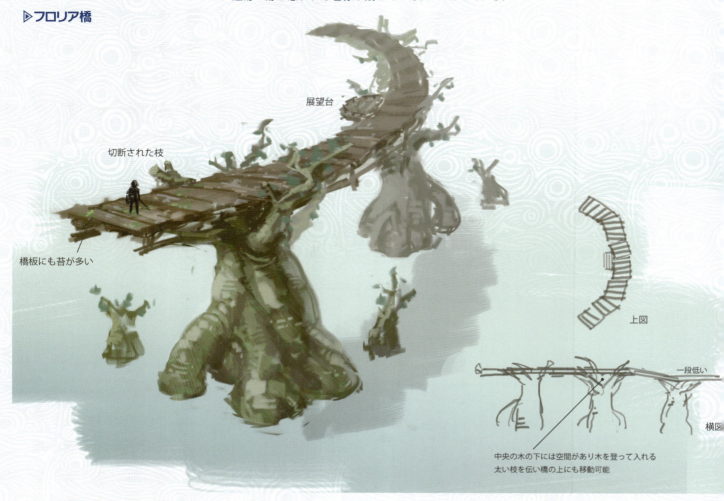

▷サージョン橋

▷供え物置き場

▷彫像 検討稿

実際の画像

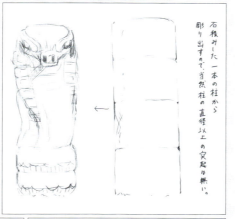

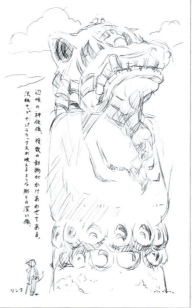

OTHER SPOT
フィローネ地方

▷コモレビーチ

フィローネ海岸沿いに広がる、穏やかな砂浜。自然にできた岩のトンネルや潮だまりが景観を引き立てている。しかし、ガーディアンやリザルフォスがいたるところにいるので散策時には油断は禁物。

▷ウボッツ台地

樹海エリアを一望できる高台。目の前には広大なフロリア湖が広がり、そこに注がれる大滝を眺められる。ツルギバナナが実る樹も群生しているので、旅の疲れを癒すのにうってつけの場所である。

▷ラブポンド

カール山の山頂にある、ハートの形をした池。恋が叶うという伝説があり、数多くの観光客が訪れるという。なお、ハテール地方のエボニ山には、ハートがひび割れた形をした偽物の池もある。

ハイラルの各地で見られる
点在する施設

　ハイラル全土を分ける8つの地方のうち、特定の地域に属するものではなく世界各地に存在する施設や地形、または世界中を移動している施設などをまとめた。
　リンクの冒険をサポートしたり旅のために必要不可欠なものから、行く手を阻む魔物の巣窟や迷宮までさまざまなものが存在する。
　また、世界各地で発見できるオブジェクトなどについても本項で取り上げる。

🏇 馬宿

ハイラルを旅する冒険者や観光客のための施設。常駐する馬宿協会員が、捕まえた野生馬の登録や預け入れなどの管理をしてくれるほか、周辺地域に関する情報の提供と宿屋としての機能も兼ね備えている。

▷ **検討稿**

■ 旅籠アイデアラフ3　Bシンプル版
・馬が好きで堪らない主人がいる旅籠

実際の画像

←"俺と馬"というタイトルで各地の旅籠屋主人が描いた自慢の絵が幕になっている

手前の旗付ロープは省略しています→

エポナ社

創業150年を超える老舗総合馬具メーカー
社名の由来は、伝説の勇者の愛馬から
人と馬の文化的な発展をモットーとし
鞍や頭絡などの馬具はもちろん、
お手入れ用のブラシやライディングウェアまで
幅広く手がけている

DESIGNER'S NOTE

　馬宿は平原を駆けていても遠くから発見できるよう、目立つデザインの建物にしたいと考えていました。自分の中ではシリーズの中で登場する「ポストマン」の役割に近いものを感じていたので「ぶっ飛んだ見た目にしよう!」と馬のモデルの頭部を巨大にして建物の上に乗せてみたところ、モニターしたスタッフからとてもわかりやすいと評判が良かったのでそのままデザインを起こしていきました。【Senior Lead Artist：Landscape　米津 真】

大妖精の泉

防具を強化してくれる大妖精が住む湖。巨大な花のような形状で、大妖精が力を失っている間はつぼみのように閉じている。ハテール地方のカカリコ村付近、アッカレ地方のケポラ峠付近、ヘブラ地方のギシの丘、ゲルド地方の大化石内部の4か所に存在する。

■防具加工妖精の泉　妖精とのサイズ比（こちらの妖精は決定稿ではありません）

「しわ」があるとより肉厚に見えるかもしれません

▷つぼみ検討稿

▷検討稿

■妖精の泉

女性をモチーフにした石像と噴水

泉周りすべて金で出来ている

▶検討稿

マトリョシカ風

マモノショップ

▶検討稿

キルトンが営む、魔物に関連するアイテムを販売する移動屋台。最初はアッカレ地方のドクロ沼にあるが、一度出会うと世界各地の集落にほど近い場所に夜になるとどこからか現れるようになる。

実際の画像

点在する施設　333

魔物の拠点

ボコブリンやモリブリンなど、魔物の群れが作った拠点兼寝床。廃墟から拾ったり人間から奪った木片などで作られている。樹木をベースにしていたり、巨大なドクロ状の岩を利用していたり、水上に建てられたりと、作られた地域によって材質や構造もさまざま。

敵拠点案 骨の装飾を木材で裏打ちver

- 倒れた時に上面に邪魔な牙がない程度に
- ツタの色は緑だと若々しいので茶色系で
- 髑髏燭台は別でデザインを詰めます
- ひらひらしない程度に布を短く牙の意匠を上に上げる布を見短くするので、裏打ちの板は無しで

敵拠点案 別アングル

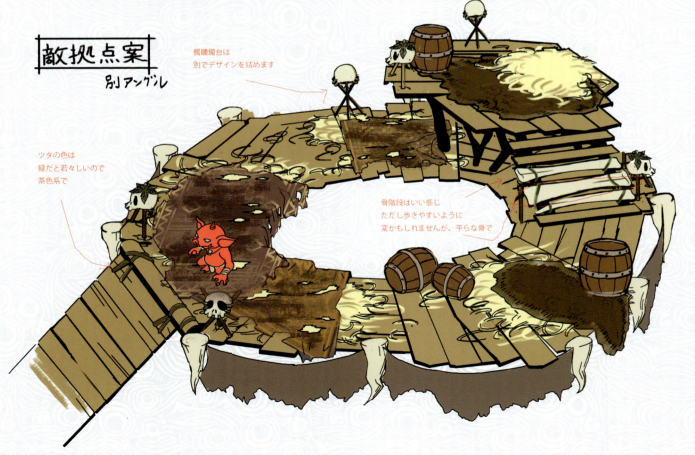

- 髑髏燭台は別でデザインを詰めます
- ツタの色は緑だと若々しいので茶色系で
- 骨階段はいい感じただし歩きやすいように変かもしれませんが、平らな骨で

通路6本の松明に関しましてはデザイン調整中ですので
モデリングについては作業を保留して頂けたらと思います。

敵水上拠点案

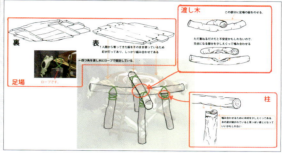

廃屋

100年前の大厄災によって壊されたハイリア人の住居。倒壊して壁の一部しか残っていないものがほとんどだが、まれに家具の破片などが残されていることも。

▷検討稿

ハイリア建築廃墟
・ロマネスク風(分厚い壁/小さい窓)
・柱もあるが壁で支えているイメージで大きな壁がそのまま残っている
・神官や信者、ハイリア王家周りの人の居住スペースだったイメージ
・時の神殿を少しすっきりさせたような装飾

根元の方で折れて寄りかかっている壁

金属の扉(敵を殴れる)

木造民家
・歪み
・骨組み/木漏れ日
・剥落
・基礎は石で組んでいる
・壊れた食器・ぼろ布等
生活感多め

完全に崩れて瓦礫の山になっている部分

たまに細い木もほしい…

外装・内装は
ペイントした薄いベニヤのような木を張り
仕上げていた

崩落した屋根

火のついたまきの上に置いて
お料理できるお鍋

点在する施設 **335**

巨大迷路
（ローメイ島・北ローメイ城跡・南ローメイ城跡）

はるか昔に建てられたと思しき、巨大な迷宮遺跡。フィローネ地方のゾナウ遺跡群と似た文様があるが関連は不明。いずれも常人では到達できないような奥地に造られている。

▶ 検討稿

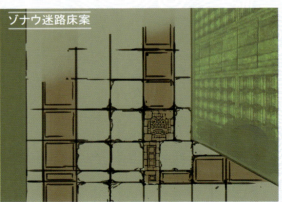

ゾナウ迷路床案

・キューブ壁の角や端はこのパーツが置かれている

DESIGNER'S NOTE

ゾナウ遺跡は、ハイラルの各地方の街や種族を作り上げていく中で「前史で滅びた文明の片鱗を見せることができれば、よりこの世界にリアリティが出てくるのではないか」と考え、各地にゾナウ文明を展開していきました。ゾナウの遺跡は主に動物がモチーフになっているのですが、龍（勇気）、フクロウ（知恵）、ブタ（力）ということで、太古からのトライフォースの歴史を感じさせるようにデザインを考えています。名前の由来はまさかの「ゾナウ＝ナゾ」からきております（笑）。

【Senior Lead Artist：Landscape　米津 真】

ゾナウの塔

世界各地にそびえる謎の塔。人の何倍もの高さがあるが、その用途は一切不明である。

実際の画像

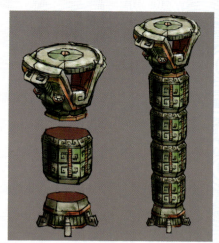

▶ 検討稿

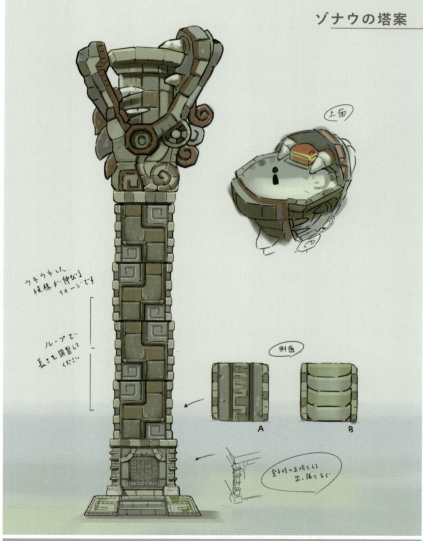

女神像

ハイラル全土で信仰されている女神ハイリアの石像。各集落に安置されているほか、大小さまざまな大きさのものが各地に存在する。

▷検討稿

実際の画像

▷ハートの器&がんばりの器

クジラの大化石

人の何倍もの大きさがある巨大な化石で、世界に3つ存在する。古の時代に実在したという、巨大なクジラに似た骨格を持つ。

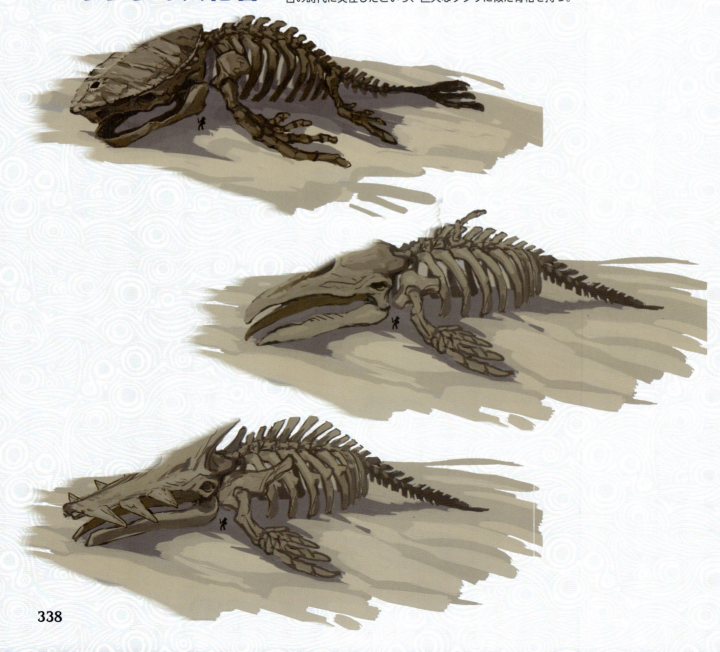

宝箱

木箱

▷ノーマル

▷火山

▷海辺

▷雪山

▷ジャングル

▷砂漠

旗

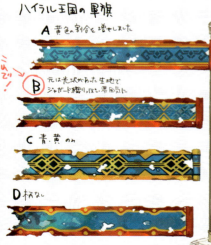

OTHER SPOT
点在する施設

▷底なし沼

濁った泥水が溜まった池。通常の池などとは異なり、泳ぐことができず入ると体が徐々に沈んでいき溺れてしまう。

▷ゴミ捨て場

魔物の拠点付近などにある、ゴミが廃棄されているスポット。特に画像の「イオ・ソオの祠」の周辺にあるゴミ捨て場は最大規模で、常にハエが大量に飛んでいる。

▷山小屋

ベッドや机などが整備され、宿泊ができる小屋。主に降雪地帯など、周辺に集落がなく、厳しい環境にある場所に建てられていることが多い。多くは俗世を離れて過ごすハイリア人が暮らしているが、中には旅人の休憩所として使われているものも。また、日誌などが残されていることが多く、住人の生活などを垣間見ることができる。

▷石像

女神像や道祖神同様、世界各地に存在する人型の石像。その用途や設置された意図などは不明だが、試練の祠の鍵として重要な役割を持つものも存在する。

知られざる過去の物語 英傑たちの詩（バラッド）

本項目では2017年12月に配信されたDLC第2弾「英傑たちの詩」で見られる要素などを取り上げる。描かれる物語は大厄災の起こった100年前の中でも、ウツシエからリンクが思い出す記憶よりもさらに前の出来事である、ミファー、ダルケル、リーバル、ウルボザがそれぞれ英傑として選出され試練を受ける過程や、ゼルダ姫との関係性が描かれる。

ゼルダ姫
（DLC第2弾）

寒冷地帯に赴くための防寒着を着用した姿。全体的に白を基調としたデザインだが、胸元のリボンや裏地には王家の証ともいえるロイヤルブルーがあしらわれている。

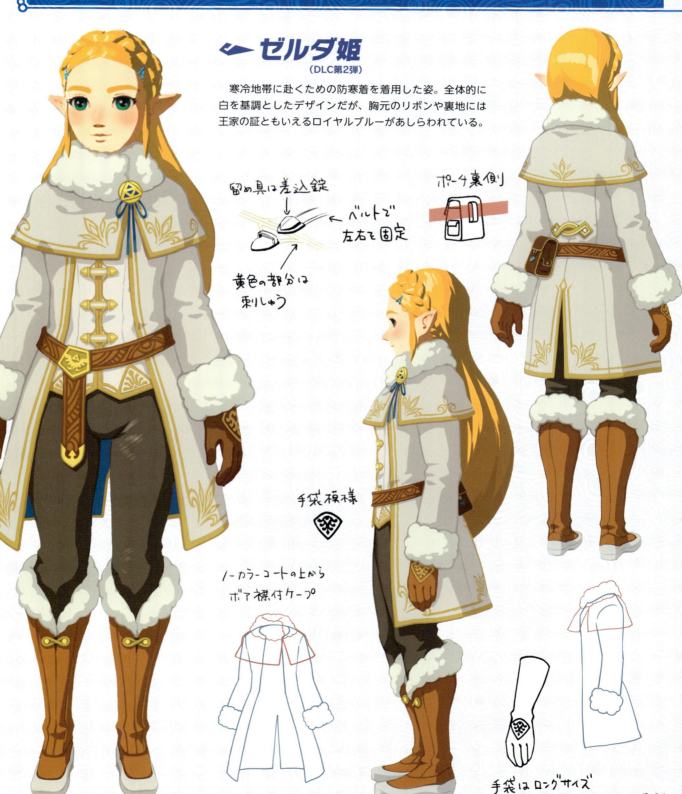

留め具は差込錠
ベルトで左右を固定
黄色の部分は刺しゅう
ポーチ裏側
手袋模様
ノーカラーコートの上からボア襟付ケープ
手袋はロングサイズ

341

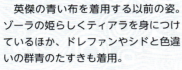

ミファー
(DLC第2弾)

英傑の青い布を着用する以前の姿。ゾーラの姫らしくティアラを身につけているほか、ドレファンやシドと色違いの群青のたすきも着用。

← ティアラ

← 肩飾り
ヒレの形にそった感じで
水滴形

← たすきの留め具

ダルケル
（DLC第2弾）

愛用の武器「巨岩砕き」を背負った、英傑になる前の姿。青い布は十字になっていた鎖の1本と交換して装着したことがわかる。

ウルボザ
（DLC第2弾）

族長時代のウルボザ。現族長であるルージュと同じく、ゲルド族の紋章が入った黒いスカートと族長の証である冠を着用している。

冠の中心

ルージュの額冠と同じデザイン
宝石はなし

345 英傑たちの詩

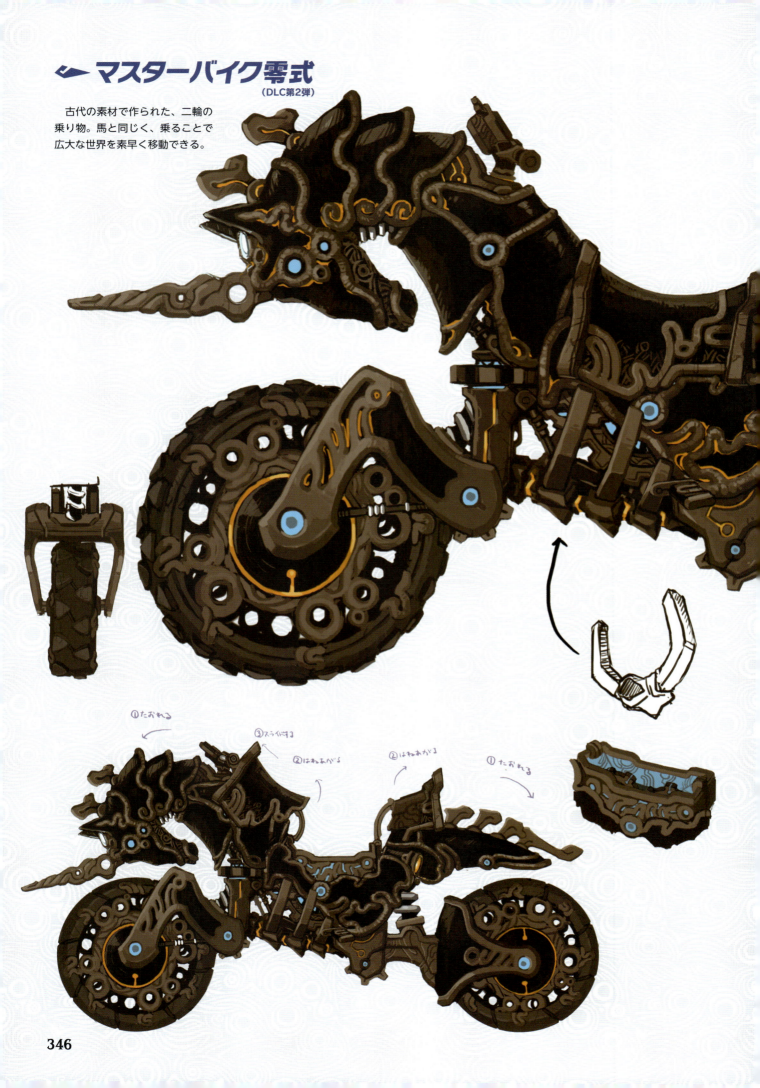

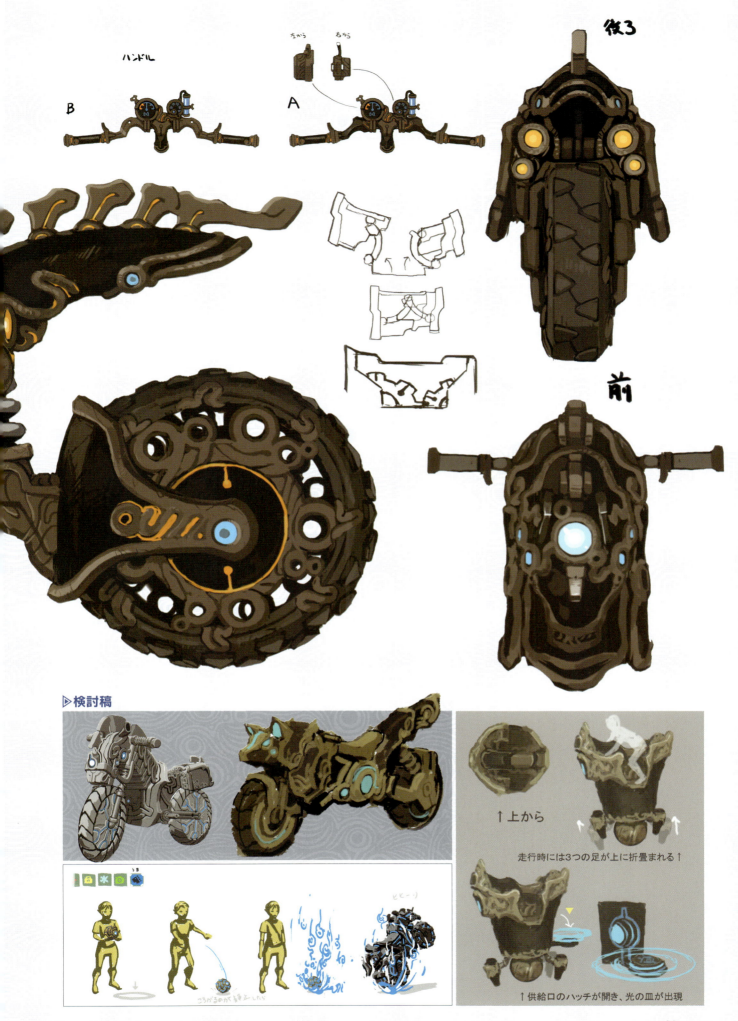

▶検討稿

347

シド
（DLC第2弾）

100年前の大厄災直前の、幼少時代のシド。現代のゾーラの子供（P.106）に比べて、頭部の尾びれが非常に長いのが特徴的。体が小さいため装飾は少ないが、胸元のホイッスルはこのころから健在。

DESIGNER'S NOTE

本編には、実装したかったけれども語られなかった多くのエピソードがたくさん存在しており、これらはとても魅力的なものでした。DLC第1弾が、アクション寄りの遊びが多い実装となったので、DLC第2弾では、この語られなかった知られざるエピソードの中から、特に英傑たちの物語を垣間見ることができる構成にすれば、より今作の世界を楽しんでもらえるのではないかと考えました。ゲーム中で見られるデモは、主に100年前のハイラルの世界。大厄災が起こる前の出来事を描いています。本編では、見ることのできないゼルダ姫の防寒着姿や、英傑の証である青い衣をまとう前の4人の英傑の姿、現代では巨大な体躯を誇るゾーラ族の王子シドのかわいらしい幼少期など、新たに語られる物語は、今作の世界観をより広げてもらえるものと思います。

【Director　藤林 秀麿】

侍女（DLC第2弾）

100年前ハイラル王家やゼルダ姫に仕えた女性。他国との交渉や謁見の場に同行することもあった。

一撃の剣（DLC第2弾）

新たな試練の際に使用する片手剣。矛先には4つの神獣を模した装飾があしらわれている。

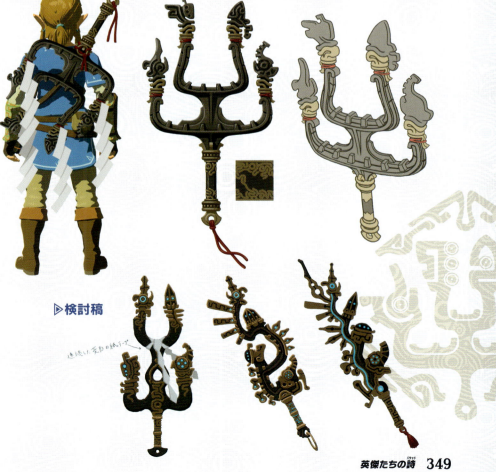

▶検討稿

CHAPTER.3
HISTORY

CONTENTS

ハイラルの地理と地図から見る歴史	352
ハイラル史 〜年表と出来事〜	354
1万年前 〜伝承〜	360
約100年前 〜厄災対策〜	366
大厄災 〜滅亡〜	374
現代 〜勇者回生〜	384
年代不明遺跡 〜ハイラルの神秘〜	406

100年前の記憶を取り戻しながら進んでいく『ゼルダの伝説　ブレス オブ ザ ワイルド』。ここでは冒険を進めて知識を得た現在の視点から、過去を順に追い、事象を時系列順に解説。

　事象は作品内にちりばめられた台詞や物体等から収集するとともに、多くは語られなかった事実や制作時の設定、導き出される歴史的考察も随所に含めている。

　ひとつの歴史書として、またハイラルの世界をより深く味わうための手引書として役立てていただければ幸いである。

ハイラルの地理と地図から見る歴史

　現在ハイラルは8つの地方に分かれ、中央ハイラルにかつてのハイラル王国の中枢、ハイラル城がある。厄災ガノンの復活によってハイラル王国は滅び、史跡が破壊され集落が水浸しになるなどしたのが現在のこの地図である。ハイラル城を囲むように古代柱がせり出した様子も見られる。
　ここでは地図上に主要な地名や解説を簡素に記し、歴史的な出来事や、本章にて解説している事柄の位置関係を確認することができるようにしている。

　たとえば中央ハイラルは、周囲を山に囲まれた盆地になっている。ハテール地方の中心へは双子山の山間を通る必要があり、オルディン地方にデスマウンテン、ゲルド砂漠の手前にゲルドキャニオンといった具合である。ヘブラ地方と中央ハイラルは大きな渓谷で隔てられ、街道は通っているもののタバンタ辺境と呼ばれるのもうなずける。
　中央ハイラルが焼け野原となった100年前の大厄災であるが、ハイラル城から放たれたガーディアンの猛進が各種族の村にまで届かなかったことには、このような起伏のある地形で隔てられていることもひとつの理由として見てとれるだろう。

　シーカータワーは周辺情報をシーカーストーンに与えてくれる役割となっているが、その昔は厄災ガノン復活の感知のために建てられたものだという。そのため地方ごとに決められた数があるわけではなく、各地方のものは中央ハイラルに近い位置に建てられているようだ。
　四神獣が各持ち場からハイラル城のガノンを狙い、最終決戦はハイラル全土の中心地となるハイラル平原で繰り広げられる。

【8つの地方】

ハイラル史 〜年表と出来事〜

はるか昔	*神話の時代*	ハイリア人の王族によるハイラル王国が栄える。
		ゲルドの王ガノンドロフ、魔獣ガノンと変貌しハイラルの脅威となる。王族や勇者の力をもって、ガノンを封印。
		幾度も復活するガノンを封印する。

1万年以上前	*お伽話の時代*	シーカー族の技術により高度な文明を持つ。
1万年前		シーカー族が造ったガーディアンと四神獣、封印の力を持つ王家の姫と、退魔の剣に選ばれし勇者により、復活したガノンが封印される。
		ハイラル王、技術の廃絶を命じシーカー族への圧制を開始。廃絶令により神獣はハイラル各地の土中深くに埋められる。
		シーカー族、穏健派と武闘派に分派。武闘派はやがてイーガ団を結成。
		長き平和な時代が訪れる。

100年と少し前	*厄災復活の兆し*	王女誕生。王家の姫はゼルダと名付ける習わしにより、ゼルダと命名。
		占い師が厄災ガノンの復活を予言。
		ハイラル王、占い師の予言を頼りに古代遺物調査を開始。神獣を発掘。
		ゼルダ姫6歳。ハイラル王妃急逝。
		ゼルダ姫7歳、王からの指示により封印の力を得るための修行開始。
		近衛の家系の若者リンク、マスターソードを抜く。
		ゼルダ姫、遺物研究の責任者であるインパを引見。プルアとロベリーを紹介され、遺物研究に参加。
		シーカーストーン発見。写し絵の機能を回復。神獣の起動に成功。
		ゼルダ姫、ハイラル中から特に優れた能力を持つ4人を選び出し、神獣の操り手を依頼。
		ハイラル城に4人とリンクを招集、叙任式にて英傑に任命。

ハイラル王国には長い歴史があり、その起こりについては神話と呼ばれるほど遠い昔のことになる。それから繁栄と衰退を繰り返しているため、伝承が真実であるのか、お伽話であるのか、今となってはわからないのである。しかし、1万年前に厄災ガノンを封印したこと、それが100年前に復活したことは、現在につながるまぎれもない事実である。とはいえ1万年前についてはあまりに遠い昔であり、伝承として残るのみ。厄災ガノンが復活した100年前とその前後については、公文書が焼失したため詳細な記録が残されていない。よって、ここに記すのは現在調べられる限りでのハイラル史を紡いだものとなっている。

100年と少し前

4人の英傑、神獣の操り手としての試練に挑み、それぞれの操り手が決定。

リンク、ハイラル王の勅命によりゼルダ姫付きの騎士となる。

英傑による神獣操作訓練開始。

イーガ団が暗躍。ゼルダ姫が襲撃されるも事無きを得る。

魔物が活発化。数が増え、強靭な種族も出現。民間への被害が増加傾向に。

100年前

大厄災の日

ゼルダ姫、17歳の誕生日を迎える。ラネール山の知恵の泉で禊を行う。

厄災ガノン復活。ガーディアンと四神獣が乗っ取られ、城下町が壊滅。

ハイラル王、騎士団を指揮。民を避難させガーディアンや魔物と戦闘を行うも死亡。

神獣に駆け付けた英傑たち、神獣内に現れたカースガノンにより倒され、魂を神獣内に囚われる。

ハイラル兵、アッカレ砦にてガーディアンに抵抗するも陥落。ハイラル王国滅亡。

クロチェリー平原にてリンク倒れる。ゼルダ姫、封印の力覚醒。

ハテノ砦にて民間人による防衛に成功。

リンク、回生の祠で眠りにつく。マスターソードもまたデクの樹のもとで修繕のため眠りにつく。

ゼルダ姫、ハイラル城にて厄災ガノンの力を抑える。

ガノン沈静化により、神獣が姿を消し、ガーディアンの侵攻が止む。

大厄災の後

馬宿協会による馬宿ネットワークが整えられる。ハテノ村で自給自足の生活が始まる。

現代

勇者の目醒め

ゼルダ姫の封印の力が弱まり、活性化したガノンがリンク復活の兆しに反応。

神獣、ガノン活性化とリンク復活の兆しに反応して姿を現し、暴走し始める。

リンク、回生の祠より目醒める。

ハイラル史と各種族の歴史年表

	ハイラル史	シーカー族の歴史	ゾーラ族の歴史
はるか昔	ガノンドロフがガノンとしてハイラルの脅威となる。 ガノンを封印。 幾度も復活するガノンを封印する。	ハイラル王家の陰の存在として、歴史の舞台裏で暗躍。 ガノンやハイラル王家にまつわる伝説を口伝する。	ゾーラ王家にルト誕生。賢者として覚醒しハイラル王家の姫や勇者と共に戦う。 戦さ下手な王、王妃の鱗が使われた手作り鎧を着てリザルフォスを退治する。
1万年以上前 1万年前	シーカー族の技術により高度な文明を持つ。 厄災ガノンがハイラル王国を襲う。四神獣と勇者と封印の力を持つ姫により、厄災ガノン封印。 ハイラル王家、シーカー族の技術に脅威を感じ追放。	 高度な技術をもって、四神獣およびガーディアン等を開発。厄災を圧倒する。 穏健派と武闘派に分派。穏健派はカカリコ村を隠れ里として定住。武闘派はゲルド地方に逃れ、後にイーガ団を結成。	ラネール地方に定住。 ゾーラ族とハイラル王国が手を組み東の貯水湖を建造。1年で完成。以降ゾーラ族が水量の管理を行う。
100年と少し前	ゼルダ姫誕生。 占い師、厄災ガノンの復活を予言。ハイラル王、古代遺物調査を開始。四神獣を発掘。 ゼルダ姫6歳。ハイラル王妃急逝。 ゼルダ姫、修行を開始。 リンク、マスターソードを抜く。 ハイラル中から特に優れた能力を持つ4人を選び出し、神獣の操り手を依頼。	プルアやロベリー、若くして才能が認められ、遺物発掘・研究作業に関わる。 シーカー族のひとりが宮廷詩人に。後に勇者のための詩を残す。 インパ、遺物研究責任者に。執政補佐官としてハイラル城に勤務。 プルア、ロベリーの古代遺物調査にゼルダ姫が参加。シーカーストーン発見。	ドレファン、王位に就く。 王女ミファー誕生。 ゾーラの里にハイラル王の表敬団が来訪。ミファーと4歳前後のリンクが対面。 ゾーラの里で神獣ヴァ・ルッタ出土。 ミファー、久し振りにリンクと再会。 ミファーに神獣の操り手依頼が届く。ドレファンら上層部が反対。 ミファー、リンクとともに雷獣山のライネルを討伐。

現在ハイラルで暮らす各種族の歴史についても、ハイラル史とあわせて記載した。いずれも年代については明白ではなく、とくに前後関係については曖昧な部分も多い。

さらに種族によって残された文献はまちまちであり、たとえば密接な関係にあるシーカー族やゾーラ族については記録が多く残されているが、ゴロン族やリト族の大厄災以前についてはほぼ空白となっている。また、ふだん見ることができない精霊であるコログ族についてはコラムとして記載した。

ゴロン族の歴史	リト族の歴史	ゲルド族の歴史	
族長のもと、独自の暮らしを営む。		100年に一度の男児出生。ガノンドロフと名付けられる。 ガノンドロフ、ハイラルの支配を目論む。魔獣ガノンへと姿を変え、封印される。 ガノン、長き時の中で理性を失い、ハイラル王家への憎悪と怨念の権化・厄災ガノンとなる。	**はるか昔**
			1万年以上前 **1万年前**
デスマウンテンにて神獣が発掘される。のちにルーダニアと判明。 デスマウンテンにてダルケルとリンクが対面。 ダルケルに神獣の操り手依頼が届く。ダルケル、すぐに快諾。	リーバル、リト族の弓矢大会で優勝。賞品として飛行訓練所の建設を所望。 リーバルに神獣の操り手依頼が届く。リーバル、返答を保留。	ウルボザの旧友であるハイラル王妃がゲルドの街を訪れる。ウルボザ、生まれたばかりのゼルダ姫と対面。 ウルボザ、ハイラル王妃の葬儀に参列。 ウルボザ、ゼルダ姫の何度目かの泉での修行に同行。 ウルボザに神獣の操り手依頼が届く。ウルボザ、承諾。	**100年と少し前**

	ハイラル史	シーカー族の歴史	ゾーラ族の歴史
100年と少し前	ハイラル城にて叙任式。英傑が任命される。 リンク、ハイラル王の勅命によりゼルダ姫付きの騎士となる。	イーガ団暗躍。ゼルダ姫を亡き者にしようと襲うも、未遂に終わる。	ドレファン、ミファーが神獣の操り手になることを承諾。 ミファー、操り手の試練の後、神獣ヴァ・ルッタを操る英傑に選ばれる。 ミファー、ゾーラの里周辺にて神獣ヴァ・ルッタの操作を訓練。
100年前 大厄災の日	厄災ガノン復活。ガーディアンと四神獣が乗っ取られ、城下町が壊滅。ハイラル王死去。 クロチェリー平原の戦い。リンクが倒れ、ゼルダ姫の封印の力が覚醒する。 ゼルダ姫、ガノンの力を抑える。	インパ、プルア、ロベリー、勇導石やそのパーツを持ってカカリコ村へ避難。行方不明のゼルダ姫を捜索すべくシーカー兵を派遣。 カカリコ村にゼルダ姫が訪問、インパらと再会。これを受けプルア、ロベリーが回生の祠へ向かい、リンクに処置を施す。 多くのシーカー族がカカリコ村に避難。大厄災への対応に追われる。	神獣ヴァ・ルッタをカースガノンに乗っ取られ、ミファー戦死。 ガーディアンの侵攻が止まり、厄災を逃れる。
大厄災の後		インパを中心に、カカリコ村で勇者の目醒めを待つ。 プルアはハテール地方へ、ロベリーはアッカレ地方へと分散。それぞれの地で古代遺物研究を行う。 ロベリー、シーカーレンジの開発に成功。	英傑祭が行われるようになる。 はぐれガーディアンがゾーラの里に侵入。ドレファン王、これを谷底に叩き落し、撃退。 ハテノ海の巨大オクタロックをシド王子が退治。
現在	リンク、回生の祠より目醒める。 リンク、厄災ガノンを討伐。	タワーの起動を確認。	神獣ヴァ・ルッタ暴走。東の貯水湖にて放水を始める。

ハイラル王国とゾーラ族の絆

ゾーラの里付近にはラネール大水源と呼ばれる水源一帯がある。ハイラルにとって重要な水源であり、ゾーラ族は巨大な貯水湖とダムによって水量管理を行っているのだ。このことについては現ゾーラ王によってゾーラ史第2章として綴られ、1万年以上昔のハイラル王国との関係がわかるものとなっている。「ハイラル王国との絆」と題して石碑に刻まれた内容は以下の通り。

ラネール地方は、10年に1度大雨の周期がある。そのたびにゾーラ川が氾濫したという。ゾーラの里でも町が傷つき人が流され、被害は甚大であった。時のゾーラ王はハイラル王に救援を求めて治水に乗り出した。東の貯水湖の建造である。ゾーラの建築設計とハイラルのからくり技術。それらが合わさり1年で東の貯水湖は完成した。以降ハイラルでは水害が起きなくなったという。ゾーラ王は感謝し、ハイラル王と約束した。貯水湖の水量を管理しハイラルを水害から守ると。これは1万年以上続く盟約であり、東の貯水湖はハイラル王国との絆の証でもある。

石碑

【ルテラーダム】
東の貯水湖に建造された巨大ダム。石造りの美しい設計はゾーラ特有のデザインとなっている

 ゴロン族の歴史　 リト族の歴史　 ゲルド族の歴史

ゴロン族	リト族	ゲルド族	
ダルケル、操り手の試練の後、神獣ヴァ・ルーダニアを操る英傑に選ばれる。 ダルケル、ゴロンシティ周辺にて神獣ヴァ・ルーダニアの操作を訓練。	リーバル、再度リトの村を訪れたゼルダ姫と出会い繰り手を受諾。 リーバル、操り手の試練の後、神獣ヴァ・メドーを操る英傑に選ばれる。 リーバル、リトの村周辺にて神獣ヴァ・メドーの操作を訓練。	ウルボザ、操り手の試練の後、神獣ヴァ・ナボリスを操る英傑に選ばれる。 ウルボザ、ゲルドの街周辺にて神獣ヴァ・ナボリスの操作を訓練。	100年と少し前
神獣ヴァ・ルーダニアをカースガノンに乗っ取られ、ダルケル戦死。	神獣ヴァ・メドーをカースガノンに乗っ取られ、リーバル戦死。	神獣ヴァ・ナボリスをカースガノンに乗っ取られ、ウルボザ戦死。	**100年前 大厄災の日**
ガーディアンの侵攻が止まり、厄災を逃れる。	ガーディアンの侵攻が止まり、厄災を逃れる。	ガーディアンの侵攻が止まり、厄災を逃れる。	
族長ブルドーが「採掘会社ゴロン組」を開設 ユン坊誕生。	カッシーワ、宮廷詩人であった師匠から勇者のための詩を受け継ぐ。 テバ誕生。	族長の娘ルージュ誕生。 ルージュの母死亡。ルージュ、若くして族長に就任。	**大厄災の後**
神獣ヴァ・ルーダニア暴走。デスマウンテンを徘徊し始める。 デスマウンテンの火山活動が活発化。火山弾によりゴロンシティの観光客が激減。	神獣ヴァ・メドー暴走。リトの村上空を旋回し始める。	神獣ヴァ・ナボリス暴走。ゲルド砂漠を徘徊し始める。	**現在**

森の精霊コログ族の歴史

ハイラルに住まう種族のなかでも、コログ族は森の精霊という特別な存在である。デクの樹を守護者として育まれるハイラル大森林の中心がコログの森と呼ばれ、そこに暮らしている。

常人には見ることのできない存在であり、彼らの歴史については表舞台には上がってこない。しかしコログの森にはマスターソードの台座があり、デクの樹がこれを見守っているのである。

デクの樹と共同体であるコログ族は、ゼルダ姫によってマスターソードが封印された後の100年間、他者に奪われることのないよう守り続けた。大森林の入口を迷いの森と変え、侵入者を防いだのである。その他にも勇者の力となるべく彼らなりに力を尽くしたという、健気な種族のようである。

デクの樹

コログ族

【迷いの森】
伝説の剣マスターソードについては一部のトレジャーハンターの間で噂となっていたが、外部からの侵入者を防ぐ迷いの森によって、その存在場所は隠し通された

【マスターソードの台座】
デクの樹はこのハイラルを見守る精霊のひとりである。来るべきときに必要となる退魔の剣もまた、デクの樹によって見守られていたようである

古の王国ハイラル… 目覚ましき繁栄の時を迎えん
その文明と技…もはや忌むべき敵 魔物すら脅威に能わず
古の民たち その技を新たな力とすべく奮励す…
厄災ガノンに立向かいし 勇者と姫に助力せんが為に
民が生み出したる新たな力…
それは厄災封印の与力となる からくり達…
獣の姿を模り造られし四体の巨大な獣…
その名は神獣
己の意思持つ からくりの兵… 群れ成し敵を襲う者達
その名はガーディアン
類い稀なる力を持つ四人の民 神獣を操る者として選ばれん
蘇りし厄災ガノン 彼の者には此度の戦い 最悪となりし
仇敵に加え 新たな力の群れにも迎え撃たれたが故に…
ガーディアン その数を持って 勇者達を守り…
神獣 その巨体から猛撃を放ち ガノンの力を奪う
古の勇者 退魔の剣をもって ガノンに止めを刺し
聖なる力受け継ぎし姫 その力をもって厄災を封印せん…
（古の詩）

ハイラルの暮らし
木を切る人、農作業をする様子、荷物を運ぶ馬、にぎわう街が描かれている

　太古より栄えし王国ハイラル。その歴史は、ある者との戦いの歴史でもあった。災いをもたらし、幾度滅びても蘇る者……その名をガノンという厄災である。しかしハイラルには、王国を護る宿命を持って生まれ出でる者がいた。勇者の魂を宿す剣士と、女神の血を引く聖なる姫。いつの時代にも、ガノンと戦うべく姿を現した者たちだ。
　ガノンの脅威を退け、繁栄したハイラル王国。高度な文明と技術力により、もはや魔物すら脅威ではなかったという。しかし再びガノンが復活し、王国は危機にさらされた。厄災を封印できるのは、勇者と聖なる姫である。王家に仕えるシーカー族は彼らを補佐すべく、からくりの兵器「ガーディアン」と、人が操る四体の巨大兵器「神獣」を開発した。ガーディアンが数で勇者たちを守り、神獣が猛撃でガノンの力を奪う。そして勇者が退魔の剣でガノンにとどめを刺し、聖なる力を受け継がれし姫がガノンを封印した。こうして、再び長い平和の時代が訪れたのである。
　彼らとガノンとの戦いは語り継がれ、詩となって伝承された。上の詩と右の図は、１万年ほど前の、厄災ガノンとの戦いの物語なのである。

封印の要
シーカー族の高度な技術を用いたうえでも、厄災ガノン封印には聖なる姫と、退魔の剣に選ばれし勇者が必要であった。太古の神話の時代からハイラルに運命づけられた輪廻である。

１万年前
～伝承～

シーカー族とシーカーストーン

高度な技術を持つシーカー族。動力源のような石があり、後に「シーカーストーン」と呼ばれる遺物らしき物も描かれている。少し離れたところには、ハイラル王と思われる人物と兵士。そして、驚く民衆の姿がある

封印の支援

中央には厄災ガノン。周囲を取り囲む無数のガーディアンと、シーカー族の導師。四神獣はそれぞれ、ヴァ・ルッタ、ヴァ・ルーダニア、ヴァ・メドー、ヴァ・ナボリスと名付けられ、優れた能力を持つ者たちが操縦者として選ばれた。15基の塔は、厄災の出現をいち早く察知するレーダーの役割だったという。

シーカータワー

神獣とともに描かれた操縦者たち。名や種族は不明

シーカー族の追放と分裂

下部には、厄災封印後の様子も描かれている。左端から民衆、兵士を遣わす王、大勢の兵士、追われるシーカー族。さらにシーカー族は女神ハイリアのもとへ駆け込む姿と、武器を手に取る姿とに分岐している。伝承図の中央にはシーカー族のシンボルが描かれていることから、シーカー族の視点で出来事を伝えているものと言えよう

伝説から名付けられた神獣

その名の由来が判明しているのは2体。神獣ヴァ・ルッタは太古の昔にゾーラ王家に生まれた王女ルトから名付けられた。また、神獣ヴァ・ナボリスもゲルド族のナボールが由来であるという。両者とも、賢者としてハイラル王家の姫や勇者とともに悪しき者と戦ったと伝わっている。

神獣 ヴァ・ルッタ　神獣 ヴァ・ナボリス

シーカー族の分派

　1万年以上もの昔、ハイラル王国はシーカー族の高い技術力により高度な文明を築いていた。古の時代より王家を陰から支えてきたシーカー族は、その技術をもって厄災ガノンを封じ、多大な貢献をしたのである。ハイラルは再び平穏な日々を迎えたが、時のハイラル国王はシーカー族に対し、怖れと疑念を抱き始める。もしもシーカー族が王家への謀反を企てたら……その思いに取り憑かれた王は技術の廃絶令を発令し、シーカー族への圧制を始める。技術研究の禁止、研究データの廃棄、研究施設の閉鎖、主だった研究者の更迭と監視。そういった令を破ろうとしたシーカー族には、拘束や投獄など厳しい処分が科された。

　この圧制を受けてシーカー族は大きく変化し、分派への道を辿っていく。古くからの王家との繋がりを重視して弾圧を甘受し、唯唯諾諾と生きることを決めた穏健派は、隠れ里をつくりひっそりと生活することになった。こうして身を寄せ合った場所が、現在のカカリコ村である。

　いっぽうで、それを良しとしなかった武闘派集団は王家を見限り、生来の生業でもあった暗殺者に回帰する。遂には厄災ガノンへの信奉を持つに至った。ハイラル王国の力が及ばないゲルド地方へと落ち延び、後に「イーガ団」を結成。厄災ガノンに仇なす姫や勇者を排除することを目的とした。

　そして、王家への忠誠は残しつつも、技術研究の火を絶やさぬよう密かにその維持に努める者たちもいた。

　異なる生き方を選択したシーカー族らは、その居をも異にすることとなり、ハイラル各地に分散したのである。

【カカリコ村】
周囲を高い山が囲い、人目につかぬよう築かれた隠れ里。祭事に重要な始まりの台地とは街道が通じており、裏手には大妖精の泉を臨む

【イーガ団】
神出鬼没で、俊敏な身のこなしが特徴的。戦闘には暗殺用の武器を用いている

TIPS

シーカー族の技術

　このときのシーカー族の技術力は、ハイリア人のそれとは桁外れな高度なものであった。ハイラル王国は王家の神聖な力こそが権威であり、文明そのものは衰退と繁栄を繰り返していることもあって、シーカー族の技術は完全なるオーバーテクノロジーと言えるのだ。特に制御装置を用いて巨大な建造物を作動させる技術は、強大なエネルギーをもって厄災ガノンを打倒したとあって神の力とも呼ばれた。それほど強大な力であるがゆえに、人々は恐怖を覚えたようである。

　シーカー族はもともとハイラル王家の繁栄と維持のために、陰から王族に付き従ってきた一族である。その長い時代の中で、時には暗殺、処刑などの闇に包まれた暗躍に手を染めたこともある。彼らの歴史もまた、血塗られた歴史の繰り返しなのかもしれない。

女神ハイリアとシーカー族

　神話の時代、シーカー族は女神ハイリアに遣わされ、女神ハイリアの生まれ変わりを護る使命を与えられたという。女神ハイリアの生まれ変わりはハイラル王家の祖先といわれ、シーカー族は後の時代もハイラル王家を脅威から護り、さまざまな伝承を伝える役割を担ってきた。

そのような宿命のあるシーカー族だからこそ、王都からの追放後も古に刻まれた使命を脈々と受け継いだり、導師として身を捧げたに違いない。

　女神ハイリアは現在もハイリア人およびシーカー族が信仰し、各地には大小の女神像が建てられ、多くの人から親しまれている。

【女神像（時の神殿）】

【女神像（カカリコ村）】
人々に親しまれた女神像。長年にわたって撫でられたことにより磨耗して丸みを帯びている。シーカー族独自の文化を反映するかのような前掛けも特徴的だ

イーガ団のアジトと現在の活動

　ゲルド地方に逃れた武闘派集団は厄災ガノンを信奉するということだが、現在のアジト内にその様子がうかがえる形跡はなく、1万年間の記録もないため詳細は不明である。イーガ団と名乗り始めたのも厄災ガノン復活の兆しが見え始めてからのようで、シーカー族古来のマークを上下逆さにしたものをシンボルマークとし、総長コーガの指示のもと活動している。

　現在、団員らはガノンというより総長に追従しており、「勇者」や「女神の血を引く者」を抹殺すべくハイラル全土に散らばっていった。変装と隠密行動、札を使った術を得意とし、旅人に扮して勇者の捜索活動を行うほか、ゲルドの街に忍び込み国宝を奪うという盗賊行為も働いた。

王家の力が及ばないハイラルの西の果て、ゲルド砂漠。その北部、カルサー谷の奥の台地に囲まれた場所にアジトがある。砂漠の往来に慣れたゲルド族ですら容易に足を運ぶことはできない地域だが、俊敏なイーガ団が谷を抜けることは容易いようだ

【アジト入口】
ゲルド族の遺跡をアジトとして利用し、谷に鳴子を仕掛け警備している。岩の合間の入口を抜けると物々しい雰囲気の広間となっており、掛け軸の向こうが隠し通路になるといった手を加えている

【アジト内部】
光の差さない内部は薄暗く、赤い提灯が吊るされている。古代の祠の壁面のような模様が描かれていたり、カカリコ村と似通った設計があったりと、シーカー族特有の文化が見られる

【ツルギバナナの貯蔵】
イーガ団の活動源であり好物のツルギバナナは、現在アジトに多く貯蔵されている。アジトに配備された団員は、見張りをするかバナナを食べるかして過ごす

イーガ団のスパイ

　イーガ団は勇者の居場所をつきとめるため、カカリコ村にスパイを送りこんでいる。しかし、スパイとして入りこんだもののカカリコ村で家族ができ、イーガ団を抜けようとした団員もいた。イーガ団は当然これを許さず、彼の妻を暗殺。そのため彼は、子供たちにまで被害が及ばないようスパイ活動を続けることを余儀なくされているという……。

▷ 総長 コーガ様

コーガの名を受け継ぐ現総長。総長だけが習得できる究極の奥義は、古代エネルギーと同様の発光が見られ、密かに残された古代技術であることがうかがえる

363

古代シーカー族 導師

　シーカー族の中には、古来の女神ハイリアに仕え、女神の啓示を受けた100人以上の導師がいる。彼らは厄災を封印した後も、ハイラルの安寧のために身を捧げ、遥か未来に訪れる厄災の復活に備えた。ハイラルの各地に各々が試練の題材を設けた祠をつくり、厄災に対抗する勇者を鍛えるための試練の場所とした。即身仏となって勇者を待ち続け、克服の証を授ける役目を終えた導師は、塵のように静かに消滅する。

ミィズ・キヨシア

マ・オーヌ

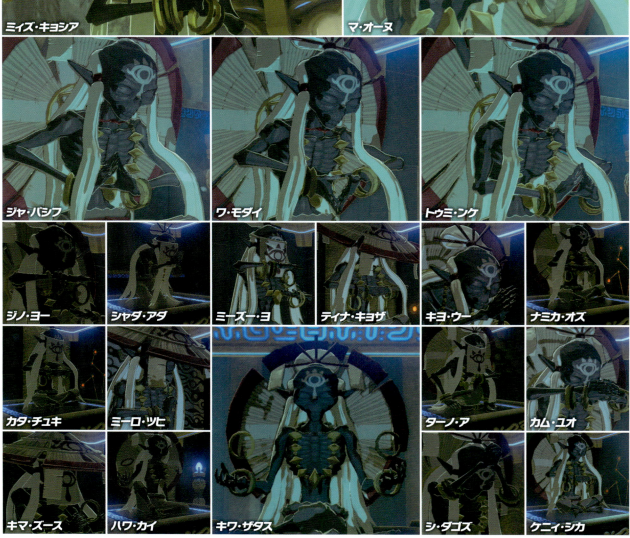

ジャ・バシフ　ワ・モダイ　トウミ・ンケ

ジノ・ヨー　シャダ・アダ　ミーズー・ヨ　ティナ・キョザ　キヨ・ウー　ナミカ・オズ

カタ・チュキ　ミーロ・ツヒ　　　　　　　　　　　　　　ターノ・ア　カム・ユオ

キマ・ズース　ハワ・カイ　キワ・ザタス　シ・ダゴズ　ケニィ・シカ

364

導師の姿に隠された意味

　導師らは、これといった規則性なく各地に散らばっているようである。しかし始まりの台地の4人の導師、マ・オーヌ、トゥミ・ンケ、ワ・モダイ、ジャ・バシフの手格好は3つの正三角形と1つの逆三角形となっており、4人でトライフォースをかたどるような姿となっているのだ。
　また、力の試練を課す導師らは武闘家のように拳を合わせた姿をとっており、基礎となる「タロ・ニヒの教え」を伝授するカカリコ村のタロ・ニヒは、彼らの中でも最高位の存在のようである。

双子山に祠を構える、シベ・ニーロとシベ・ニャス。対になった試練「双子の記憶」を課す導師だが、その体勢も対となっている

拳を合わせた姿の導師。たとえばサオ・コヒは「力の試練 序位」を課す。最高位であるタロ・ニヒは、身に付けた装飾の多さからも権威が感じられる姿となっている

365

厄災ガノン封印の後、ハイラル王国は長きに渡る平和な時代を迎えた。戦いの記憶は薄れ、吟遊詩人たちがさまざまな歌にして語り継ぐのみとなった。

そして、およそ1万年の時が経つ。
厄災ガノンは古いお伽話の存在となっていた。ハイラル王国はかつてのような高度な文明は持たないものの、ハイラル全土を束ねる中心として栄華を誇っていた。村々の若者はハイラル城を目指し、手柄を立て故郷に錦を飾ったという。

ある時代、ハイラル国王ローム・ボスフォレームス・ハイラルと、その王妃の間に見目麗しき姫が誕生した。ハイラル王家に生まれた姫は「ゼルダ」と名付ける習わしがあり、それに倣ってゼルダと命名したという。
ハイラルの民は姫の誕生に喜び、ますますの繁栄を願った。しかしその喜びもつかの間、とある占い師がハイラル王国に迫り来る危機を予言した。
「大地に厄災ガノン復活の兆しあり……」
1万年前に封印した厄災ガノンが復活するというのである。

だが、希望もあった。1万年前の戦いで活躍したガーディアンおよび四神獣がどこかに存在していることも、同時に予言されたのだ。
そして、王家の姫に備わる「封印の力」にも期待が寄せられた。しかしその力を持つ王妃は、ゼルダ姫が6歳の時に急逝。ゼルダ姫は母から封印の力に関する知識を何一つ教わることができぬまま、厄災封印の重責を負うことになった。

古のシーカー族の遺物、ゼルダ姫に備わる封印の力、そして神獣を操る英傑と、退魔の剣を携えた勇者。これらを求め、ハイラル王国は緊張の時代を迎えたのである。予言された、厄災の復活まで――

約100年前
～厄災対策～

366

【約100年前の城下町】
商業にも学術にも秀でたハイラルの中心地。噴水の広場を中心とし、青い屋根の民家が立ち並ぶ。しかし100年前の文献は後に訪れる大厄災によりほとんどが消滅。かつての姿を思い描くには、残されたわずかな手記と、吟遊詩人による口伝、そして当時を知る者のかすかな記憶に頼るのみである

❶ハイラル国王、ローム・ボスフォレームス・ハイラル ❷ハイラル城屋外通路より、ガーディアンの稼動実験を見つめるゼルダ姫 ❸封印の修行のため、泉で身を清めるゼルダ姫。しかし封印の力は目覚めない ❹退魔の剣に選ばれた勇者リンク。伝説の剣と、ハイラルの未来を背負うこととなる ❺ゼルダ姫と、ハイラル全土から選ばれた英傑

古代遺物の発掘と調査

　厄災ガノンは伝説やお伽話の中で語り継がれてきた存在であったが、ハイラルの占い師がその復活を予言した。ハイラル王はこの予言を真摯に受け止め、ガノン復活への対策を講じていく。

　そのひとつが、占い師の予言のとおり1万年前の戦いで要となった古代遺物を発見することである。ハイラル王はかつてそれを造ったシーカー族の協力をあおぎ、ハイラル城直轄の古代研究機関を設け、古代遺物の発掘と調査を開始した。結果、巨大な古代遺物が4体発見された。遺物の内部にはそれぞれの名前が記されており、それは伝承と一致するものであった。同時に、ガーディアンと呼ばれる兵器を次々と発掘。これらにより厄災封印の伝承はお伽話ではなく真実だったことが証明され、厄災ガノンの復活が現実味を帯びたのである。

　後に、ゼルダ姫も古代研究に参加。「シーカーストーン」と名付けられた遺物の発見により、神獣が起動する。1万年前の伝承をなぞるかたちで厄災ガノンに対抗するため、ハイラル王家は神獣を操る人材を任命し、英傑と名付けた。ほかにもハイラル各地の遺物についてさまざまな研究と解明が急がれたが、このときすべてを解明するには至らなかった。

【遺物発掘の様子】
シーカー族が発掘を進める様子。執政補佐官のインパやゼルダ姫も発掘現場を視察した。写真のゲルドキャニオンには、当時の足場が今も残っている

【ガーディアンの試運転】
発掘したガーディアンを起動、制御する実験の様子。実験はハイラル城西側の中庭で、シーカー族の研究者たちによって行われた

TIPS

占い師

　厄災ガノンの復活と遺物の存在を予期し、ハイラル王に進言した予言者。

　王がこの予言を信じて古代遺物の調査を開始したことからわかるのは、占い師は側近またはかなり高い位にいた。もしくは絶対王政を敷いていたということである。あるいは封印の力を持つハイラル王妃も何らかの予兆を感じ取っていたのかもしれないが、そうでなければ、一介の占い師の言葉を王が信じ、国を挙げて実行することは想像しがたい。

　ただし不可解なのは、その占い師の名前や素性が一切謎に包まれていることである。ハイラル王国とともに滅んだのか、その力を恐れられ失脚させられたのか、自ら姿を消したのか。それらを知る文書も残ってはいない。しかしこの占い師の予言があったからこそ、厄災ガノンに対抗することができたのは紛れもない事実である。名前すら知られないながらもハイラル史における重要人物であり、陰の功労者なのである。

シーカー族の協力

　未曾有の危機を受け、ハイラル王家とシーカー族は再び手を取る道を選んだ。とはいえ、かつての文明や戦いは伝承にすぎず、シーカー族に対する脅威論もこの頃にはすでになかった。それでも両者の和解はハイラル史における重大な出来事であり、1万年という長い年月もさることながら、カカリコ村に穏健派が残っていたこと、そしてハイラル王の政策の賜物と言えるだろう。

巨大な古代遺物

　獣の姿をした四体の巨大兵器。水の神獣ヴァ・ルッタ（ゾウの形）、炎の神獣ヴァ・ルーダニア（トカゲの形）、風の神獣ヴァ・メドー（鳥の形）、雷の神獣ヴァ・ナボリス（ラクダの形）。

神獣内部にあるシーカー族のマークと古代文字

古代研究機関

　厄災ガノン対策のため、ハイラル城の直轄として置かれた古代遺物の研究機関。研究費を国がまかなうことはもちろんであるが、ハイラル城には遺物を作動させるための古代エネルギーが豊富にあり、とくに勇導石と呼ばれる遺物の研究にはこれが不可欠であった。プルア、ロベリーといった若いながらも優秀なシーカー族の研究者が名を連ねており、ゼルダ姫もこの研究に参加している。

　また、遺物研究はハイラルの存亡を懸けた研究であるとともに、未知のエネルギーを使用するものでもある。そのため活発な研究を推し進めるプルアの暴走が懸念され、その妹であるインパが執政補佐官として古代研究責任者となり、暴走を抑える役割を担っていた。

四神獣、ガーディアンの発掘

神獣を中心とした遺物の多くは、当時発令されたシーカー技術廃絶令により土中深くに埋められていた。それでもシーカー族が密かに残した文献などから、4体の神獣をハイラル各地で発掘することができたのである。神獣の発掘場所については、神獣ヴァ・ルッタがゾーラの里、神獣ヴァ・ナボリスがゲルドキャニオンから発掘されたことだけが記録に残されている。

また、この遺物調査によりガーディアンも発掘された。研究施設に持ち帰られ、シーカー族の研究者ロベリーらが中心となって試運転を行った。次々と稼動状態へと持っていくことができ、厄災ガノン対抗への希望が見えたのである。しかし1万年前に活躍した多くのガーディアンは、ハイラル城の地下に眠るという5本の柱に格納されているという。その記録を頼りにハイラル城の調査が行われたが、ついに発見には至らなかった。

【発掘現場】
神獣はハイラル城から遠く離れた場所で見つかっている。この2体の他にもデスマウンテンで1体の神獣が発掘されたことが話題になったり、リトの村でも神獣の発掘が噂になるなど、ハイラル全土を巻き込む規模の発掘調査であったことが推測できる

勇導石、シーカーストーンの研究

四神獣の内部には「勇導石」と呼ばれる端末があり、まずはそれを起動するための遺物の捜索に力が注がれることとなった。ゼルダ姫もこの研究に参加し、シーカー族のプルアたちとともに発掘した石板が「シーカーストーン」である。神獣の勇導石にこれをかざすと、神獣は再び動き出した。これにより、各神獣はそれを操縦する4人の英傑に託されることとなる。

シーカーストーンは勇導石の起動の鍵となる他にも、自動で記録される写し絵や図鑑といった機能を備えており、古代シーカー族の高度な技術を物語る遺物であった。インパの進言によりゼルダ姫がこれを所持して研究が進められていった。また、シーカーストーンを発見したことでさらなる解明を進める対象となったのが、ハイラルの各地に古くから存在する謎の遺物、古代の祠である。

る。勇者のための施設であるということが伝承から判明しており、これもシーカーストーンが起動の鍵であると踏んではいたが、起動方法はわからずじまいであった。なぜならばこの時の研究では遺物の根本的な仕組みについて理解できていなかったためであり、祠の起動方法が解明するのは100年後のこととなる。

勇導石

古代の祠

シーカーストーンの発掘場所と命名

世界で1つしか存在していない遺物シーカーストーン。ところがこれが発見された場所については、明確な記述が見つかっていない。しかしこの時代に起動が確認されている勇導石およびシーカーストーンをはめ込む機構になっている台座は限られており、神獣を除けばハイラル城で研究に使用されていたものと、回生の祠のものだけである。とくに回生の祠のものは台座のみのため、ここでシーカーストーンが発見されたであろうとの見方が強い。

また、出土した記録の中からはこの遺物の名を示す記述は発見されず、シーカー族が作った石状の遺物という意味でプルアの命名案が採用された。本来の名称についても不明である。

【シーカーストーン】
手に持って使うことができ、中央のパネルが光ってさまざまな情報が表示される不思議な遺物。各地の祠と同じ素材でつくられていると思われる

選ばれし英傑

　古代遺物の発掘研究が進み、厄災ガノンの復活が現実味を帯びてきた。そこで古の伝承に倣い、ハイラル中から優れた能力を持つ4人を選び、神獣を操る任に就けることとしたのである。ゼルダ姫が各地を訪ねて依頼し、彼らの返答を得ていった。
　王は退魔の剣マスターソードに選ばれし勇者リンクとあわせ、彼らを英傑と名付けてゼルダ姫の元に集結させた。厄災ガノンを封じる布陣の完成である。リンクを戦いの要とし、四神獣はそれを援護。そして姫が厄災を封印する。
　ゼルダ姫は自らの修行の傍ら、神獣を完全な稼動状態にすることにも注力。また、神獣を繰るには強力な聖なる力が必要といわれており、英傑もまた厄災ガノン討伐に向け全力で臨んだ。

【ゼルダ姫と五英傑】
英傑として任命された5人。ゼルダ姫と同じブルーの衣類を身にまとい、人々の注目を集めた。種族も経験も異なる彼らであったが、来るべき日のために結束を深めていった

マスターソードに選ばれし勇者 リンク

　退魔の剣マスターソードを手にし、厄災ガノンを封じる布陣の要として勇者となるべく運命をたどった剣士。近衛の家系に生まれ、剣はもちろん弓や馬の扱いにも長けた。
　マスターソードは選ばれし勇者だけが手にすることができるという伝説の剣であり、長らくその所在は不明であった。リンクがいつ頃どのような経緯でこれを手にしたのかについても、謎に包まれている。しかし剣の主となってからの経過年月を考えると、12～13歳前後の頃ではないかと推測されている。
　台座に収められたマスターソードを抜くには相応の素質や体力が必要で、その資格なき者は命を奪われるという。そのためリンクは幼くして並外れた身体能力を有し、勇者足りうる強い心の持ち主であったことは明らかである。実際、幼少の頃に大人の騎士に全勝したという逸話もある。
　また、幼い頃にゾーラの里を訪れていたリンクはゾーラ族との親交もあるのか、後にはライネル討伐といった功績を残したり、ゾーラ族の子供に泳ぎを教えたりしたこともあるという。類稀なる身体能力だけでなく、真直ぐな性格についてもうかがい知ることができるエピソードである。
　神獣の繰り手がそろった後、ハイラル城で試験中のガーディアンが暴走する事件が発生。それを巧みに食い止め、名実ともに功績が認められたリンクは、ハイラル王から直々にゼルダ姫付きの騎士に任命された。自らの危険は顧みず、ゼルダ姫を護衛する任務を最後まで忠実にこなしていくのである。

英傑の服を毎日身につけ、栗毛の愛馬とともにゼルダ姫の護衛にあたった

リンクの家柄

　リンクの出自について明確な記録は残っていないが、貴族ではない家柄であり、故郷はハテノ村ではないかと言われている。英傑として注目を浴びたうえに田舎出身の騎士がゼルダ姫付きの騎士にまで昇ったことで、周囲からやっかみの目で見られることもあったようだ。

ゾーラ族の王女 ミファー

ゾーラの里の王、ドレファンの娘。槍術に長けており、治癒の力を持つ。水の神獣ヴァ・ルッタを操る。温和でおとなしい性格だが、神獣の操作をそつなくこなしたと伝わっている。

【ミファーとリンク】
2人はリンクが子供の頃からの顔なじみである。成長の速度の差から、ミファーにとって幼かったリンクはすぐ大人になってしまったが、ミファーは彼に特別な想いを抱いていたようだ

【ミファーとルッタ】
ゾーラの里で神獣が発見されると、ミファーはたいそう興味を示したという。英傑に選ばれた際もたいへんな喜びようで、ルッタに親しみをこめ「貴女(あなた)」と呼びかけている

ゴロン族の猛者 ダルケル

炎の神獣ヴァ・ルーダニアの操り手として選ばれた、ゴロン族の英雄。頑丈な岩の体を持ち、特別な護りの力を使うことができる。豪快な性格だが、ゼルダ姫を気遣う年長ぶりも見せていた。

【ダルケルとリンク】
操り手として選ばれる前から面識があった2人。ダルケルは、強くて健啖家という自分との共通点を気に入り、相棒として親しんでいたようだ

【ダルケルとルーダニア】
デスマウンテンの山肌にへばりつくことのできるルーダニア。ダルケルがルーダニアを乗りこなすまではやや難儀したが、リンクのサポートが功を奏したようである

リト族の戦士 リーバル

リト族の戦士のなかでも、弓術大会で連勝記録を持つなど一族の誇りとして名高い青年。神獣の繰り手については快諾とはいかなかったが、風の神獣ヴァ・メドーの担当として決定する。

【リーバルとリンク】
自分の技と力には絶対の自信があり、自らを厄災討伐の要であると豪語するほどであった。そのため、神獣を操りリンクを援護するという役割を不満に思い、あまり良い態度ではなかった

【リーバルとメドー】
空高く飛び回るメドー。背の部分には緑が広がり、優雅に回遊する姿はまるで空中庭園のようである。しかし、リト族以外には近づくことすらできない

ゲルド族の長 ウルボザ

ゲルド族の族長。雷を自在に操る力を持っており、雷の神獣ヴァ・ナボリスの操縦を担当する。厄災ガノンは元ゲルド族と言われており、特異な感情も抱いていたようである。

【ウルボザとゼルダ姫】
亡き王妃の友でもあったウルボザは、ゼルダ姫を幼い頃から知っていた。重責を負うゼルダ姫にとっても、心を許せる数少ない存在であった

【ウルボザとナボリス】
砂漠を闊歩するナボリス。胴体内部の可動域は特に複雑な構造になっており、操縦の難度も高いものだったのではないかと思われる

英傑の選出と任務

操り手として選ばれた4人は城に招かれ、ゼルダ姫、リンクとともに叙任式が行われた。その後、4人の英傑はまず繰り手の試練を受けることとなった。試練によって適性が測られ、それぞれが操る神獣が決定。ミファーの操るルッタはゾーラの里周辺、ダルケルの操るルーダニアはゴロンシティ周辺、リーバルの操るメドーはリトの村の周辺、ウルボザの操るナボリスはゲルドの街周辺で操作訓練が行われる運びとなった。

【ウルボザを訪ねるゼルダ姫】
ゼルダ姫は侍女とともに各地を訪れ、操り手を依頼。その返答を受ける、もしくは説得をして、4人が決定した

【叙任式】
叙任式は、ハイラル城本丸で行われた。ゼルダ姫をリーダーとし、集結した5人の戦士は英傑と呼ばれることになる

ゼルダの修行と研究

　厄災ガノンの復活が予言され、真実味を帯び始めるに従い、ゼルダ姫はその重責を負うこととなる。

　ハイラル王家に生まれる女性は古の女神の血を引く"聖なる姫"といわれ、生来その力を身につけていることが多い。実際、王妃（ゼルダ姫の母）はその身に溢れるような力を感じていたということである。しかし王妃は、ゼルダ姫が6歳の時に急逝。幼いゼルダ姫は封印の力の継承者として期待されたが、母からその力に関する知識を何一つ教わることができなかった。

　翌年の7歳から封印の力を得るための修行に励むものの、今代のゼルダ姫はそうした特別な力に目覚められずにいた。選ばれし英傑たちにも励まされながらさまざまなことを試みるが、成果のないまま10年もの時が過ぎていくこととなる。

　そのいっぽうで、ゼルダ姫は遺物調査に本格的に参加する。執政補佐官であり遺物研究責任者のインパや、研究者プルア、ロベリーらを引見し、古代遺物の研究をともに進めていった。また、神獣と英傑たちとの訓練や調整へも自らの足で各地へ赴き、厄災ガノンへの対策を多方面から支援。厳しい修行の傍ら、遺物の解明によってハイラルを救う道を模索していったのであった。しかし父であるハイラル王は、ゼルダ姫が遺物に関与することを禁じ、修行を増やすことを命じる。

　結局封印の力に目覚めることはなく厄災ガノン復活の日を迎えるのだが、その直後の出来事により力が覚醒する。

【泉での修行】
泉にて祈りを捧げるゼルダ姫。それは言うほど容易いものではなく、冷水を浴びることによって激しく体力を消耗し、高熱を出すようなこともあったという

【遺物研究】
インパの進言でシーカーストーンを預かることになったゼルダ姫は、究明を急ぎ各地をまわった

TIPS

聖なる姫
　伝説として残る"ゼルダ姫"は、幼少期から予知夢を見たり、神のお告げを聞くなど、聖なる力を持ち勇者とともに戦っていたという。

日録と研究録
　ゼルダ姫の100年前の様子は、自室の日録と、専用の研究室の研究録に綴られている。また、図書室に残されたレシピのメモには、ゼルダ姫はフルーツケーキが好物であると書かれている。

【フルーツケーキ】

【日録】　　【研究録】

太古の儀式の模倣
　封印の力が目覚めないことを見かねた英傑ダルケルは、リンクがゼルダ姫付きの騎士に任命された記念として、太古の儀式を真似ることを提案。その祝福の言葉には、退魔の剣にまつわる多くの伝説が込められている。

【太古の儀式 祝福の言葉】
退魔の剣に選ばれしハイラルの勇者よ
そのたゆまぬ努力と結実せし剣技を認め
女神ハイリアの名において祝福を授けん
空を舞い 時を廻り 黄昏に染まろうとも
結ばれし剣は勇者の魂と共に
遥か遠き過去に生まれし退魔の剣よ
勇者と共にハイラルの守護を担う者よ
女神ハイリアの名において祝福を授けん
海を越え 神の作りし黄金を求めんとき
そなたの姿 常に勇者と共にあり
退魔の剣とハイラルの勇者に
さらなる力 宿らんことを

イーガ団の襲撃
　ゼルダ姫の修行や研究の旅は、道中でイーガ団の襲撃に遭うこともあった。リンクがこれを成敗し事なきを得たが、ゼルダ姫から避けるような態度をとられながらも護衛としての責務を果たしたリンクのお手柄である。同時にこの一件は、ゼルダ姫にとって恐怖を増長させるものではなく、リンクへ信頼を寄せるきっかけとなった。

女神の血を引く者としての修行

母親の死から1年3か月後。ゼルダ姫は7歳から封印の力の修行を始めた。封印の力を得る方法は書物に書かれているわけでもなく、生来の素質もしくは母親の指南などから身につくもので、明確な修行方法があるわけではない。厄災復活を目前にし、素質のありなしにかかわらず封印の力に目覚める責務があったのだ。

そのために行った修行は、女神を模した白い衣をまとい、女神にゆかりある3つの泉にて身を清め、祈りを捧げることであった。中でも知恵の泉は、「齢17に満たぬ者、知恵なき者として入山を禁じる」というしきたりのもと、17歳未満は立ち入ることを許されない聖地である。修行開始から10年、17歳の誕生日には最後の希望として知恵の泉へ向かうが、ついに封印の力に目覚めることはなかった。

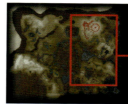

【力の泉】
3つの泉の中では比較的なだらかな街道から続いており、参拝しやすい場所にある

【知恵の泉】
ラネール山の頂。参道から険しい山道を進み、凍てつくような標高の場所にある

【勇気の泉】
緑豊かなフィローネ地方の樹海にあり、謎の古代遺跡ゾナウ遺跡群と一体化している

【3つの泉の場所】
中央ハイラルより東側に集中。どの泉へ行くにも、険しい自然に囲まれた道を進むこととなる

研究成果

ゼルダ姫は現実から逃避するかのように、遺物研究に没頭していった。実際のところゼルダ姫は理性的かつ好奇心にあふれた性格であり、分析力にも長けたまさに"学者気質"の持ち主であった。ハイラルの動植物について幅広い知識を持ち、「ゴーゴーガエル」の成分分析と兵士を対象にした実験、絶滅危惧種の植物「姫しずか」の人工栽培など、多彩な研究に情熱を注いだ。遺物の研究調査においても、古代技術を再び活用できるまでに仕上げるなど、その手腕はシーカー族にも引けを取らないものである。

【ゴーゴーガエル】
身体能力を向上させる成分を兵士に用い、実戦に役立てようとしていた

【姫しずか】
「絶滅するかもしれない姫」に、自身の境遇を重ねたようだ

ゼルダと父王の葛藤

聖なる血を受け継ぎながらその能力を目覚めさせることができないゼルダ姫にとって、マスターソードに選ばれしリンクの存在はコンプレックスの象徴そのものであった。リンクの無口さもまた、ゼルダ姫の被害妄想を増長させていた様子がうかがえる。しかし、リンクの実直な姿を見て意識が変わっていき、誰にでも何かしらの悩みがあることを知ったゼルダ姫は、人として成長していく。

父であったハイラル王にもまた、葛藤があった。封印の力に目覚めることができず、王宮内の人々から「責を果たせぬ無才の姫」と揶揄される娘に、王として厳しく当たらざるをえなかったようだ。しかし厄災ガノン復活の予兆さえなければ、無理な修行を強いる必要もなかったのである。城に遺された王の手記からは、娘を思いやる父親としての一面を読み取ることができる。

最後の希望として知恵の泉へ向かう娘と、それでも不可能ならば遺物研究から道を拓く提案をしようと考える父。しかし両者が再び会うことは叶わぬまま、永遠の別れとなるのであった。

それは、ハイラル城の地下深くから突如として現れた。いや、厄災ガノンの復活はわかっていたことである。1万年の時を越え、ついに姿を見せたにすぎない。
　はるか昔は人か何かであったかもしれないそれは、もはや人智を超えた怨念の塊と呼ぶしかないものであったが、ハイラルに災いをもたらすべく蘇ったことは明らかであった。かつて自身が打撃を受けたからくりの兵器ガーディアンを支配し、己の尖兵として利用したのである。
　四神獣も乗っ取られ、ゼルダ姫の封印の力も目覚めておらず、退魔の剣に選ばれたリンクもその数に敗れた。
　犠牲者は数知れず。城を焼かれ王を亡くし、中央の機能は停止。指導者を失った兵が最後の抵抗を続けるも壊滅。
　ハイラル王国は滅亡した。

大厄災
～滅亡～

1 復活した厄災ガノンの魂。上空には暗雲が立ち込め、禍々しい気がハイラル城を飲み込んだ。その厄災ガノンの姿は、「蛇」や「黒い霧」のようであったという 2 ハイラル城の中庭。試運転中のガーディアンに厄災ガノンの怨念が入り込み、研究者や兵士を襲った 3 隠された古代柱から大量にあふれ出たガーディアン。城下町に繰り出し、火の海へと変えていった 4 5 この惨劇にもはや為すすべなく、退避するリンクとゼルダ姫。厄災ガノンの恨みの矛先は古の伝承にある勇者と聖なる姫であり、その魂と血を受け継ぐ彼らを執拗に狙うのであろうか

復活した厄災ガノン

【厄災ガノン復活の瞬間】
ラネール参道東口にて、大きな地鳴りにより異変に気づいた英傑が見たハイラル城の様子。霧のように厄災ガノンの怨念が姿を見せた

復活した厄災ガノンは、ハイラル城の地下深くから空を割るかのように現れた。暗雲が立ち込め、周囲は怨念の渦に巻き込まれた。

厄災ガノンは自身の復活を遂げたばかりでなく、ガーディアンを操り、己の手駒としてハイラルを襲った。また、厄災封印の要であった神獣も厄災ガノンに操られ、その役割を果たせないばかりか、4人の英傑は誰一人として戻ってはこなかったのである。

ガーディアンによる被害は甚大で、城下町は広大な焼け野原となった。城にいた多くの者が命を落とし、ハイラル王も帰らぬ人となる。侵攻を受けた中央ハイラルの村や施設も壊滅。かつては栄華と技術を誇ったハイラル王国は、厄災ガノン復活によって王も多くの兵士をも失い、ついに滅びたのである。

その被害がハイラル全土に及ぼうかというとき、生き延びたゼルダ姫が厄災ガノンの力を抑制。ガーディアンの猛攻は収まり、次第に収束していくこととなる。

古代柱の露出とガーディアンの襲撃

厄災ガノン復活と同時に、伝承にある5本の柱がハイラル城を囲むように出現した。ガーディアンを格納した古代柱である。古代シーカー族は厄災ガノン復活を想定し、復活すると同時にガーディアンも起動するように仕込んでいたのだ。しかし狡猾なガノンはこれを支配し、己の尖兵として利用した。本来ハイラル王国を護るべき兵器であるガーディアンを乗っ取られたことが、城を始めハイラル王国の町村を壊滅させた直接的な原因となってしまう。

多勢のガーディアンを前にハイラル兵は惨敗。リンクがゼルダ姫とともに駆けつけたときには、城下町は火の海となっていた。かろうじて生き残ったハイラル兵はアッカレ地方へ、リンクとゼルダ姫はハテール地方へと逃れるが、ガーディアンがこれを追撃。両者とも厳しい戦いを強いられることとなる。

ガーディアンにより壊滅した城下町、各町村や施設は復興の見込みもなく、魔物の格好の住処となって100年間放置された。大厄災の爪痕として無残な姿を見せている。

【ハイラル城と城下町の被害】
無残な状態となった城下町。瞬時に壊滅したわけではなく、生き延びた者もいるようである。たとえば真っ先に逃れた宮廷吟遊詩人は、俊敏なシーカー族であったためかカカリコ村に逃れることができたという

厄災ガノンの怨念が、試験中のガーディアンに入り込む様子。城内にあったガーディアンが瞬く間に敵兵器と化した

【古代柱】
ガーディアン格納庫。ハイラル城を囲むように、地下深く設置されていた。本来は古代エネルギーの青い光で輝くが、厄災ガノンの怨念に支配され赤く光っている

376

英傑たちの出陣と敗北

　厄災ガノン復活の瞬間、ゼルダ姫と英傑たちは、幸か不幸かハイラル城から離れた場所に集結していた。ラネール山の修行から戻ったゼルダ姫とリンクを参道前にて出迎えていたのである。厄災ガノンが復活したのはこのときで、大地が大きく揺れたかと思えばハイラル城が一瞬で闇に包まれたのだ。

　このときゼルダ姫の封印の力は目覚めておらず、リンクと神獣で厄災ガノンを討つ決意をする。リンクはハイラル城へ、他の英傑は各自神獣へと向かっていった。

　しかし、厄災ガノンの魔の手は四神獣にも及んでいた。ガノンが放った怨念が、四神獣を乗っ取ったのである。英傑たちは命を落とし、その魂は神獣の中で100年ものあいだ囚われた状態となった。

ラネール参道東口にて、厄災ガノン復活を目の当たりにしたゼルダ姫たち

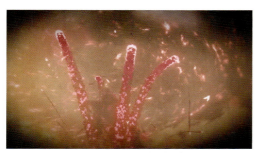

【神獣を乗っ取る厄災ガノン】
厄災ガノンの怨念の中でも、比較的大きいものが四方向に飛散した。それは神獣の中に入り、ガノンの分身であるカースガノンとなって神獣を支配。ハイラルを攻撃した

取り憑かれた神獣の内部。怨念に汚染され道が塞がれている

　　── ゼルダ姫、リンク推定進行ルート　　── 英傑推定進行ルート

ラネール参道東口からハイラル城、およびそれぞれの神獣の待機位置までは、それなりの距離がある。英傑が神獣に到達したとき、ハイラルがどのような状況であったかは知る由もない

4人の英傑の魂

　四神獣を乗っ取ったガノンは、カースガノンという己の分身を形成していた。一見シーカー族の遺物のような姿をしており、水や風といった、それぞれの神獣と同様の属性をもつ。英傑は神獣を取り戻すべく、カースガノンと戦った。しかし誰一人としてそれに敵う者はいなかったのである。頑丈なダルケルでも無事では済まず、雷を操るウルボザですら手も足も出なかったという。

　神獣は厄災ガノンへの抵抗を見せることなく、活動を停止。英傑たちが戦いから戻ってくることはなかった。事実、カースガノンは英傑らを葬ったばかりかその魂を神獣内部に捕らえていた。強き意思をもつ魂は、時に勇者に力を与える存在ともなり得るのである。神獣内部へは英傑以外が立ち入ることはできないと言われており、英傑らについては誰もが死亡したと認識していたため、当然助けが現れることはなかった。来る日も泣いて過ごしていたというミファーを始め、魂を囚われた英傑たちは、いつかリンクが神獣を取り戻しにやってくるかもしれない希望を抱いて待つしかなかったのである。

魂が解放されたミファーは、民や生き別れた父のことを想いながらゾーラの里を見つめた

魂が解放されたダルケルは、再び見ることのできた故郷の景色を温かく見守った

377

激戦地となった2つの砦

　大厄災当時のガーディアンの侵攻については、戦闘後に動かなくなったガーディアンの残骸や、壊滅したハイラル各地の状況、人々が言い伝える内容から推測することができる。

　厄災ガノンに乗っ取られたガーディアンは護るべきハイラル城を襲い、城下町を火の海に変えた。そしてハイラル平原の町村、駐屯地、交易所等を焼け野原にし、四方八方へと散らばっていった。ほとんどがなすすべもなく壊滅したが、激しい攻防が繰り広げられた2つの砦がある。王国最後の戦いの地と言われるアッカレ砦と、リンクやゼルダ姫が退避した先にあるハテノ砦である。その痕跡は、壮絶な戦いの様子を物語っている。

城下町から砦への退避

　ハイラル城が焼かれ、ハイラル兵士は難攻不落と呼ばれたアッカレ砦を拠点として最後の抵抗をしていた。だがガーディアンの猛攻を止められるはずもなく、陥落。ハイラル王国が滅んだ最後の地と言われている。

　いっぽうリンクはゼルダ姫をカカリコ村へ避難させるべく、森に身を隠しながら川沿いを退避。生き残った民を南へと誘導しつつ、ハテール地方へと向かった。ガーディアンと激しく戦い力尽きるものの、民衆はハテノ砦を最終防衛ラインとしてその侵攻を食い止めた結果、防衛に成功。その先のハテノ村は大厄災の被害から免れた。ハテノ砦は村と民を守った奇跡の砦として人々のあいだで言い伝えられている。

　英傑リンクの活躍は知る人ぞ知る事実であるが、襲いくるガーディアンの数は相当なものであり、それだけ厄災ガノンにとってリンクが脅威であったとの見方もされている。

■ 壊滅エリア　　■ ガーディアン進攻地域
── ゼルダ姫、リンク退避ルート
── ハイラル城残党兵退避ルート

ゼルダ姫を守り、森を抜け、カカリコ村へと急ぐリンク。道中で多くのガーディアンを食い止めたものの、カカリコ村まであと半日というクロチェリー平原にて倒れる

ハテノ砦から見下ろしたクロチェリー平原。戦いで停止したガーディアンが数多くある。とくにタモ湖のあたりで停止しているものは、リンクが力尽き、ゼルダ姫が覚醒したことによるもの

奇跡の最終防衛地 ハテノ砦

　ハテノ砦は、ハテノ村や周囲の自警団、落ち延びたハイラル兵などの混成の人々によって守備されたという。アッカレ砦と異なり簡易な造りであったが、中央ハイラルから離れていたこともあり大きな被害が及ばなかったと言われている。
　実際にはリンクが道中襲ってくるガーディアンを撃退しつつ逃避行を行った功績が大きく、ゼルダ姫の封印の力が覚醒したこともあり、結果的にハテノ砦への戦力が漸減されたと推測される。これらが長期戦を回避する要因となり、ハテノ砦の奇跡を生み出したのである。
　現在ハテノ砦はガーディアンの攻撃により崩れた箇所を簡易的な木のバリケードで補強している。今現在も改修が行われていない理由は人々の生活の安定が最優先であること、中央ハイラルの職人が全滅し石造りの建造物を再建する技術がないこと、そもそもの資金がないことが挙げられる。

▶ハテノ砦の攻防戦

　ハテノ砦は中央ハイラルからハテール地方へと抜ける道沿いに位置し、その様相は砦というよりも関所といったほうが正しい。兵が常駐できる居住スペースもないため、交代制の見張りを配置していた程度であったのだろう。よって戦闘は想定しておらず、ハテール地方と中央ハイラルを往来する人々の監視が目的であったと推測される。
　そもそも大規模な戦闘を想定していないため、アッカレ砦のような兵器を配備するスペースもなく、大厄災の日は壁の上から矢を射かけ、迫りくるガーディアンを妨害する程度が関の山であったと思われる。
　双子山の街道がボトルネックとなり攻め手のガーディアンの数を減らすことが可能だが、ハテノ砦手前のクロチェリー平原は広く展開できるスペースとなるため防衛側にとっては厄介である。壁の上に配置できる人数にも限界があり、十分な防御もない。ハテノ村があるため兵站は問題ないが、そもそもの防御力が低いため兵站を必要とするほどの長期戦は不可能である。
　現在のハテノ砦はガーディアンの残骸が今まさに壁を乗り越えようとしている様を伝えているが、あと一歩遅かったら間違いなく陥落していたであろう。ハテノ砦が防衛に成功したのはまさに奇跡と言っていい。

ガーディアンが攻めてきたクロチェリー平原側。いまにも砦を乗り上げようとするガーディアンの様子が見て取れる

防衛戦のための足場がつくられたハテノ村側。崩された部分を補強しているのは、木柵で作られた簡易的なバリケード。現在も修復されることはなく、100年前の戦いを物語っている

ロベリーの罪滅ぼし

　大厄災の日から、40年か、50年か経ったころであろうか。ガーディアン研究の第一人者ロベリーは、ガーディアンに有効な武器として古代兵装の矢をつくりあげた。その実験を兼ね、ここハテノ関所（ハテノ砦）でガーディアンを殲滅させたという。100年前にガーディアンに有効な武器をリンクに授けることができていれば、リンクは負けなかったに違いない……そのことを後悔しての罪滅ぼしということである。ハテノ砦周囲に破壊されたガーディアンが多く残っているのは、ロベリーのこの行動によるものも含まれているということであれば、かつて繰り広げた防衛戦ではガーディアンを全滅させてはおらず、現在の想像よりやや少ない程度のガーディアンと戦っていたということかもしれない。

壁の高さからも対人を想定していたことがうかがえる。戦いにより上部が壊され、ガーディアンがぎりぎり越えられるかどうかという状態になった

王国最後の戦いの地 アッカレ砦

アッカレ地方を守護するアッカレ砦は、難攻不落と呼ばれた堅牢な砦である。王を失ったハイラル兵士は、なすすべをなくし、迫りくるガーディアンに対しここで最後の抵抗をしていた。

兵士が全滅しハイラル王国が滅びた今となっては、この砦について知る者は少ない。しかし地形や砦の跡地を見ると、戦いにおけるさまざまな様子が浮かび上がってくる。

▶アッカレ砦の戦術的機能

アッカレ砦は、アッカレ地方へと続く2つの街道に囲まれたひときわ高い山の頂に位置する。北から北西にかけての断崖絶壁が天然の要害を形成し、アッカレ砦連絡橋から時計回りに石階段が巡らされている。南側はアッカレ地方のメイン街道に面しているためひときわ高い石壁にて防御を固めている。

アッカレ砦をどの程度の人数で守備していたのかは不明だが、この規模の砦を防御するためにはそれなりの人数と熟練の兵士が必要であると推測される。砦の南側にはアッカレ練兵場があり、頂上の建物からは居住用の施設が確認できるため、平時でも兵が常駐していたことは確かである。

アッカレ砦の頂上へ至るにはアッカレ大橋とアッカレ砦連絡橋を渡らねばならない。また地上から標高が高い位置にあるため、頂上まで兵糧を運搬するのは非常に困難である。つまり有事の際には援軍を受け入れる態勢にはない。このことからアッカレ砦は孤立状態で戦うことを想定した戦闘施設であると言える。籠城した場合でも数か月、場合によっては数年持つだけの備蓄があったのではないだろうか。

アッカレ砦の主な戦術的役割は、外海から攻めてきた敵をアッカレ地方で引き付け、中央ハイラルへの侵攻を妨害することにある。その際は台場③が最初の攻撃ポイントとなり、台場①、②で確実に敵を殲滅する。しかし実際に起こった戦闘は、中央ハイラルからアッカレ地方へと攻め込む敵を相手にしなければならないというものであった。

中央ハイラルから奥アッカレへと抜ける道は2つ。アッカレ砦の南を東西に横断するルートと、アッカレ砦の西を大きく迂回するルートである。西の街道は下り坂の谷間に向かっていくため、砦からの攻撃を直に受け侵攻ルートとしてふさわしくない。砦を無視して通り過ぎたとしても、逆襲に転じたアッカレ砦兵に背後から襲われる可能性がある。このことから敵が選択する侵攻ルートは南の街道一択となるはずだ。そこでアッカレ砦南側の3つの台場が活きてくる。台場は元々南側の攻撃と防御を重点的に行うために造られたと想定される。台場①、②は上下2か所からの攻撃により2つの射界を重ね、攻撃範囲と火力を高めている。台場③はアッカレ砦の東側を射界にしており、台場①、②の大砲が取りこぼした分を殲滅することができるのだ。

以上のように、どの方向からもアッカレ砦を無視して侵攻することは不可能だ。アッカレ砦はその戦術的役割に対し妥当な防御システムを備えていたと言えるだろう。

しかしそれは想定可能範囲での話である。ガーディアンによる想定外の侵攻ルートと想定外の火力、そして想定外の数を前に、難攻不落の砦はとうとう屈してしまったのである。

生活を営んでいた形跡が、砦内の随所に見られる

【大砲】
ハイラル兵にとって最後のガーディアン対抗手段となった大砲。現在は当時使われたままの状態で雨風に晒され、ところどころ錆ついている。砲身には蜘蛛の巣がかかり、もはや使い物にはならない

アッカレ砦の構造とガーディアンの侵攻

北西～北東は断崖絶壁
防御は自然地形でまかなえる

街道が谷間にあり狭いため敵は兵を広く展開することができない

大軍がアッカレ砦に攻め込んだとしても橋を渡るときに員数が絞られ各個撃破が可能

現在も壮絶な戦いの痕が見て取れる

↓中央ハイラル方面

→ 想定されるガーディアン侵攻ルート
■ 射界・射向

380

【アッカレ砦と塔】
現在、アッカレの塔が顔を出しているアッカレ砦。ここまでしっかりと造りこまれたアッカレ砦だが、その建設中にシーカータワーの遺構が発掘されることはなかった。よほど地中深くに埋められていたのだろう。もし砦建設中にシーカータワーが発見されていたら、その後の展開が大きく変化していたかもしれない

大砲はハイラル城やハイラル軍演習場には配備されていない。シーカー一族の技術を別枠として考えると、ハイラル王国の最大の火力兵器であったと思われる。アッカレ砦はそれだけ過酷な戦闘を想定していたということだろう。大砲の威力に関しては明らかになっていないが、アッカレ砦の戦術的役割からそれぞれの台場の役割が見えてくる。

台場①

最も高い位置にあり、アッカレ砦の戦力の要であったと推測される。見上げるほどの高さから狙われたらひとたまりもない

台場②

台場①よりも低い位置にあり、台場①に対する横矢として機能している。地上との距離も近いため、確実に殲滅することが目的であったと思われる

台場③

舌状に突出した台地の上に独立してあり、ミナッカレ橋側の道が一望できる

広く展開できる平地は二重の射界を重ねて火力を強化。アッカレ砦を無視して侵攻することを不可能とする

しかしガーディアンの火力には敵わなかったようである

南からの敵兵をいち早く砲撃、もしくは西から通り抜ける敵兵は手前で撃ち漏らしたとしても殲滅

しかしガーディアン戦においては機能しなかったと思われる

381

ゼルダ姫の覚醒と勇者の眠り

　ゼルダ姫の手を取り、ガーディアンを退けつつ逃避行を続けたリンクであったが、ハテノ砦を目前に力尽きてしまう。自分を守るために傷ついたリンクを助けたい……そう願うゼルダ姫は、今まさにリンクに襲いかからんとするガーディアンを抑えるかのように右手をかざした。するとゼルダ姫の手の甲にトライフォースの紋様が浮かび、周囲に強い光を放ったのである。ゼルダ姫の封印の力が覚醒したのだ。光を受けたガーディアンは厄災ガノンの怨念から解かれ、次々に活動を停止させていった。

　窮地を脱したもののリンクの命は尽きかけていた。そのとき、ゼルダ姫はマスターソードの内なる声を聞く。「まだ間に合う」。

　その声を信じ、ゼルダ姫はリンクを回生の祠へと運ばせた。傷ついた身体を回復させるため、勇者リンクは長き眠りにつくこととなった。

　リンクが使用していたマスターソードもまた、ゼルダ姫によって森の台座へと運ばれた。伝説の剣もまた戦いで傷つき、回復の時間が必要だったのである。ゼルダ姫は勇者の復活を信じ、剣が誰にも奪われぬよう森の精霊デクの樹に託した。そして単身、厄災ガノンの元へと乗り込む。

　封印の力を覚醒させたゼルダ姫は、厄災ガノンを抑えることに成功する。ハイラル王国は壊滅したが、これ以上の侵攻は阻止できたのである。

TIPS

トライフォース

　ハイラルの紋章にもなっている3つの三角形。ハイラル創世の伝承にゆかりあるもので、祭事関連施設のレリーフや窓の装飾などにも見られる。

　トライフォースは神の力と言われるものだが、この時代で確認することができたのはゼルダ姫の右手に浮かんだ光のみ。トライフォースの力や実態についてこれ以上のことを知るすべはないようである。

ハイラル城城下町中央広場の床のレリーフ。力の泉、知恵の泉、勇気の泉にあるものと同様の紋章も刻まれており、太古の女神に所縁あることがわかる

マスターソードの内なる声

　マスターソード自身が呼びかけてくるような声。ゼルダ姫に封印の力が目覚めると聞こえるようになった。次に取るべき行動に関して助言を与え、瀕死のリンクを救った。回復にあたって記憶が欠落してしまう可能性についても、この声がゼルダ姫に教えてくれている。

　声は女性のようであるという。それは神話として伝わる、勇者とともに戦った剣の精霊を思い出させる。

マスターソードが光を帯び、ゼルダ姫に次やるべきことを教えてくれた

回生の祠

　始まりの台地にある、祠型の遺物のひとつ。医療施設であることが判明しており、瀕死のリンクが運び込まれた。中には大掛かりな装置が用意されており、そこに横たわると特殊な液体で治療、再生が行われる。

巨大な装置の下には皿状の医療台があり、頭を乗せる箇所にはシーカー族のマークが刻まれている

ゼルダ姫の動き

クロチェリー平原にて封印の力が覚醒したゼルダ姫。いっぽうカカリコ村では、インパがゼルダ姫の捜索にあたらせており、数名のシーカー族がゼルダ姫のもとへ駆けつけたのである。カカリコ村にインパがいることを知ったゼルダ姫は、瀕死状態のリンクとシーカーストーンを彼らに託し回生の祠へと運ばせた。自身はカカリコ村に向かいインパに伝言を託した後、マスターソードの回復のためにコログの森へと向かう。一刻を争う事態において、ゼルダ姫は最善の策をとったと言えるだろう。

【駆けつけたシーカー族】
俊敏なシーカー族たち。カカリコ村でゼルダ姫の話を聞いたプルア、ロベリーもまた回生の祠へと急ぎ、リンクの処置にあたった

マスターソード封印

コログの森のデクの樹は、ハイラルを長く見守り続けている精霊である。マスターソードは台座にてデクの樹に見守られながら、その力を回復することとなる。ゼルダ姫は厄災ガノンを抑えるにあたって無事には戻れぬ覚悟であったが、デクの樹と会話を交わしたことによりその考えを改めたようである。

【マスターソードを台座に刺すゼルダ姫】
マスターソードの内なる声に助言を与えられてきたゼルダ姫だが、これが別れである。最後にゼルダ姫はマスターソードに対し、長い眠りがたとえ記憶を奪おうとも、リンクは必ず貴女のもとへやってくる、と告げた

現代 〜勇者回生〜

古の勇者ら 封印せし厄災
万年の時を経て ついに蘇る
ハイラルの近衛騎士 己が身をもって
姫巫女の盾となり 力尽き倒れる
その騎士を想い 姫巫女の力
ついに放たれ 厄災を 城に封ず
近衛騎士 回生の祠にて 傷を癒し
永き眠りから目覚めん
幾多の試練を乗り越え
力を取り戻せし その騎士…
現世の勇者となりて 再び厄災に挑み
姫巫女を 魔の手より 奪還す
勇者と姫巫女 ともに手を取り
再びハイラルに　光を取り戻さん…
（吟遊詩人による「勇者の詩」）

「目を覚まして…リンク」
　どこからともなく、呼びかけてくる声。夢か現実かわからないが、目醒めるときがきたようである。不思議な声に従って手に取ったそれは、初めてなのになんだか懐かしい。それを使って、薄暗い洞窟のような施設の出口へと向かっていく。まぶしい光が差し込み、目を細めながらそこを出ると、青々とした大地が広がっていた。うっすら霧がかった眼前には、遠目にもわかる立派な、しかし不穏な様子の城が見える。
　しっとりとしながらも爽やかな空気に触れ、まるで初めて呼吸をするかのようにしばらく呆然としていると、声は続けて指示を与えてくるのである。はっきりとはわからないが、重大な使命がきっとあるのだろう……。
　これが、ハイラルの勇者として選ばれた英傑リンクの新しい旅立ちの様子である。ここから厄災ガノンとの、本当の戦いの物語が始まるのだ。詩人が残した詩のように、幾多の試練を乗り越え、姫巫女と手を取り、再び光を取り戻すために。

声に導かれて手に取ったものは「シーカーストーン」。このときのリンクには覚えのないものだが、本来持つべき勇者の手にようやく渡ったことになる

"思い出して……　貴方は……100年の間　眠っていたのです"

　かつての戦いで重傷を負い、回生の祠で眠りにつくこと100年。勇者リンクの傷は癒えたが、その記憶は失われていた。初めて見るかのような大地をめぐり、ハイラル城で待つ声の主……ゼルダ姫のもとへと向かうことになる。
　手に取ったシーカーストーンには、写し絵が記録されている。100年前にゼルダ姫が各所を回っていた際に記録したもので、現在も変わらぬ姿の場所もあれば、厄災の影響で様変わりした場所もある。その場所はリンクの記憶を呼び起こすものであるとともに、ゼルダ姫との思い出が蘇るものであった。
　自分が何者で、何を見て何を思い、どうして現在こうしているのか。それはハイラルの城で討つべき厄災ガノンと直接関係したものではないかもしれない。しかし失った記憶をすべて取り戻すことは、リンクとゼルダ姫の未来にとって、かけがえのない希望の光となり得るのだ。

ひとり厄災ガノンに立ち向かうこととなったゼルダ姫。たとえリンクが記憶を失っていたとしてもその助けを信じてこらえ続け、リンクがかつての記憶を取り戻すことを願った

厄災前後のハイリア人の分布

厄災ガノンの復活によって、民間人の町や施設も甚大な被害を受けた。それらは100年間放置され、現在は跡地としてわずかな形跡を残している。現在、人が暮らす村は極めて少ないが、集落の跡地を見ていくと100年前にはハイリア人が広く分布していたことがわかる。ここでは100年前の様子と、大厄災の前後でハイラル王国の人々の暮らしがどのように変化したかを見ていく。

【中央ハイラル】
中央ハイラルに見られるさまざまな痕跡。大きく栄えていた町はそう多くはないが、現在とはまったく違うにぎわいを見せていた

跡地から推測される人口分布

▷ 100年前の人口分布

現在見られる跡地の様子から推測したもの。中央ハイラルには🅐ハイラル城とその城下町が栄え、南に広く開けたハイラル平原には駐屯所、村、交易所が点在していた。中央ハイラル南には❼〜❾の宿場町が栄え、始まりの台地への巡礼、ラネール地方やゲルド地方へ向かう旅人が利用していたと推測される。🅓のカカリコ村はシーカー族の村だが、多くのシーカー族が遺物研究のため中央ハイラルに赴き、人々の往来も活発だったはずである。

デスマウンテンのふもとにも、❶シャトー集落を含むいくつかの集落が見られる。❷アッカレ砦からデスマウンテンの裾にかけての街道には、これらの集落や力の泉へ参拝へ向かう人の往来があったのではないかと推測される。

現在の人口分布

▷ 現在の人口分布

🅐のハイラル城周囲、中央ハイラルの町村は、ガーディアンの侵攻により壊滅状態である。被害を逃れたのは、ハテノ砦の防衛が成功した🅑ハテノ村と、🅒ウオトリー村、そして峻険な立地にあり戦闘慣れした住民がガーディアンの侵攻を撃退したと推測される🅓のカカリコ村くらいである。それぞれの村は旅人の往来はあるようだが、密な連携は取れていない。

定住できる村や町が少なくなった代わりに、行商人やトレジャーハンターの往来を助ける馬宿ネットワークが馬宿協会によって整備され、各地の街道をつないでいる。また、壊滅した北東のアッカレ地方に🅔イチカラ村が新しく造られ、ハイラル復興に向けてわずかな兆しをみせている。

▷ 各地の名称

- ❶シャトー集落跡
- ❷アッカレ砦跡
- ❸ハイラル軍演習場跡
- ❹ラウル集落跡
- ❺湿原の駐屯地跡
- ❻コポンガ村跡
- ❼ハイラル城下町跡
- ❽中央広場跡
- ❾貯水池跡
- ❿砕石所跡
- ⓫監獄跡
- ⓬メーべの町跡
- ⓭平原の牧場跡
- ⓮ハイラル軍駐屯地跡
- ⓯交易所跡
- ⓰コモロ駐屯地跡
- ⓱門前宿場町跡
- ⓲ハイラル宿場町 跡地
- ⓳東の宿場町跡
- ⓴アデヤ村跡
- ㉑闘技場跡
- ㉒時の神殿跡
- ㉓東の神殿跡
- ㉔賢者の神殿跡
- ㉕王立古代研究所跡
- ㉖マリッタ交易所跡
- ㉗タバンタ村跡
- 🅐ハイラル城
- 🅑ハテノ村
- 🅒ウオトリー村
- 🅓カカリコ村
- 🅔イチカラ村

壊滅した町や施設

中央ハイラルは広大な焼け野原となり、公文書や貴重な資料の数々が焼失。そのうえ大厄災から生き続けるハイリア人はほぼいないため、100年前の詳しい様子については現在不明な点が多い。壊滅状態が激しく、太古の遺跡も多くあるためすべてを分析することは困難であるが、現在の様子から浮かび上がる、当時の様子を解説していく。

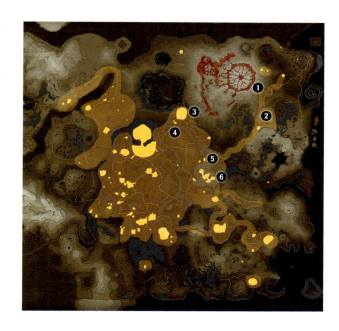

【不明な形跡】
たとえばクロチェリー平原やコーヨウ台地にも、建物の跡のようなものが残されている。しかしこれらについては元々どのようなものであったのか、いつ崩壊したのかなど不明である

❶ シャトー集落跡

デスマウンテン東のふもとにあった小さな集落。わずかに倒壊した家屋が残っている。侵攻するガーディアンに対抗するすべはおろか、中央ハイラルで起こったことを把握する間もなく壊滅したのではないか

❷ アッカレ砦跡

アッカレ地方の守備のために建設された砦。大砲を有し、難攻不落と言われた。外見的には荘厳さを残しているが、頂上の中心的施設は瓦礫の山となり、厄災ガノンの怨念に汚染され見る影もない

❸ ハイラル軍演習場跡

かつてハイラル兵が過酷な訓練を行った場所だが、倒壊した訓練施設は魔物にとって格好の要塞になったようだ。残った施設を使いつつ新たな櫓を立てており、演習場全体が魔物の縄張りになっている

❹ ラウル集落跡

ハイラル軍演習場の南に位置する小さな集落。道沿いにいくつかの建物の跡が見られるが、ハイラル城からも近く壊滅は免れなかった。地滑りが起きたのか、建物が斜めに崩壊しており復興は難しそうだ

❺ 湿原の駐屯地跡

ラネール湿原にあった駐屯地。石造の建物は比較的原型を留めており、現在はボコブリンが住み着いている。大広間のある平屋の建物、2階建ての建物を外壁で囲んだ堅牢な造りであった

❻ コポンガ村跡

ラネール湿原のコポンガ島にあった村。建物も多くそれなりの人口があったと推測できる。陸地にも建物の跡があり、島と平地を橋でつなぎ連携していたと思われる。現在はウィズローブが徘徊している

ハイラル城、ハイラル城下町が広大な面積を占めていることは見てわかるとおり。近隣には貯水池や採掘場の形跡があり、人々の暮らしが見えてくる。城の南にはハイラル平原が広がっているのだが、メーベの町と牧場、駐屯地、交易所、数々の宿場町が広く連なり栄えている。娯楽施設として闘技場も建設されており、多くの人々でにぎわっていたことだろう。宿場町の数からは、他の地域から中央ハイラルへの人の出入りや、始まりの台地への参拝目的など、さまざまな事情が浮かび上がる

❼ ハイラル城下町跡

ガーディアンの被害が最も大きく、かつての美しい街並みは瓦礫と厄災ガノンの怨念に汚染されている。かろうじて原型を留めている建物が当時の姿を物語っている。徘徊するガーディアンの数も多い

❽ 中央広場跡

城下町を象徴する中央広場も被害が激しく、人々の憩いの場であった噴水も崩壊している。ハイラル城を蹂躙したガーディアンは中央広場に攻め込み、放射状に城下町を焼き尽くしたのだろう

❾ 貯水池跡

ハイラル城下町西に位置する貯水池。城下町から道が続いており、住民たちの生活用水として活用されていたと思われる。現在は管理小屋とおぼしき廃墟が残るのみで、静かに水をたたえている

❿ 砕石所跡

ハイラル城下町西にあり、城下町の石材はここで精製されたものが使われたようだ。建物はなく、職人たちは城下町に住んでいたと思われる。職人も大厄災で全滅してしまったのだろうか

⓫ 監獄跡

ハイラル城の西にあった監獄。ガーディアンの被害を受け壊滅したようだ。建物は骨組みを残し、あとは跡形もなく燃え尽きている。収監されていた牢人たちも逃亡する間もなく命を落としたのだろう

⓬ メーベの町跡

中央ハイラルのメーベ草原にあった町。ハイラル城からも近く、ハイラル城下町を蹂躙したガーディアンが真っ先に攻め寄せた村であると思われる。かつての町が瞬く間に消えた様子は、儚い夢のようである

⓭ 平原の牧場跡

メーベの町に隣接する牧場の跡。かろうじて入口のゲート、サイロ、乗馬コースの跡が見られ、馬の調教が行われていたと思われる。現在乗馬コースには馬のかわりにガーディアンとボコブリンが徘徊する

⓮ ハイラル軍駐屯地跡

中央ハイラルに位置していた駐屯地。石造りの建物に多くの兵が常駐していたようだ。自給自足、または馬の飼料のためか、農作業を行った跡も見られる。噴水もあり、居住地としても配慮されていた様子だ

⓯ 交易所跡

中央ハイラルの南西側に位置し、人々と物が行き交っていた交易所。手前のハイラル軍駐屯地がガーディアンに突破され、交易所もその被害を受けたようだ。現在は建物の形がかろうじて残る程度である

⓰ コモロ駐屯地跡

中央ハイラルのコモロ池に突き出した岩場にあり、石造りの建物が確認できる。規模はハイラル軍駐屯地より小さい。ハイラル平原の見張りが主な役割りであったのか、倒壊した見張の塔が確認できる

⓱ 門前宿場町跡

始まりの台地の門前にあった宿場町。時の神殿などへの参拝者がここに宿泊したものと思われる。今は静かに時を刻んでいる。道沿いにあるため現在も旅人がしばしの休息を取る場として利用しているようだ

⓲ ハイラル宿場町　跡地

ハイラル平原の中で最もにぎわっていたであろう宿場町。ガーディアンの残骸も多く残されており、執拗な攻撃が行われたと推測される。時とともに朽ちつつあるが、当時の客室の様子を偲ぶことができる

⓳ 東の宿場町跡

ハイラル宿場町の東にあった宿場町。現在はモリブリンが住み着き容易には近づけない。街道近くの家屋は当時の姿を残しているが、街道から離れるにつれ草が生い茂り、自然に還ろうとしている

⓴ アデヤ村跡

高地に囲まれた大きな村であったが、ガーディアンの侵攻には抗えなかったようだ。現在はアデヤ湖に浸食されており、湿地のようになっている。廃墟にはリザルフォスが住み着き、来る者を拒んでいる

㉑ 闘技場跡

中央ハイラル最大の娯楽施設。かつて熱狂に包まれた闘技場はところどころ崩壊し、現在は厄災ガノンの怨念が浸食。とても人がいられる場所ではない。ライネルを筆頭とした魔物たちの縄張りと化している

389

始まりの台地はハイラル発祥の地と言われ、時の神殿と東の神殿がある。台地の周囲は宿場町が設けられ、交通の要衝地であることも手伝って発展していった。中央ハイラルから北西のヘブラ地方には、ハイリア人の村としては唯一のタバンタ村があった。しかし辺境と言われる地域で、人々から忘れられて廃墟のようになった神殿があるなど、人々の往来は極めて少なかったものと思われる。

【始まりの台地】

古来から続く伝統的な祭祀を執り行うための施設群。聖地として祀るべく、人工の壁で取り囲んでいる。中心となるのは、女神ハイリアが祀られた時の神殿。ほかにも各種神殿、神官や参拝者のための宿坊などを有していた

㉒ 時の神殿跡

ハイラルの聖地もガーディアンに侵攻され、かろうじて形を保っている状態だ。参道や周囲の建物は大破し原型を留めていないが、小さな3つの神殿らしき形跡も見られ、規模の大きさが見て取れる

㉓ 東の神殿跡

始まりの台地の東に位置していた神殿。時の神殿と同様にガーディアンの侵攻を受け廃墟と化している。100年前の姿そのままのガーディアンが数多く残されており、今なお稼働するものも多い

㉔ 賢者の神殿跡

ハイラル平原西にあった神殿。ガーディアンの侵攻を受け廃墟となり、さらにヒメガミ川の浸食を受けている。水場と化した神殿はリザルフォスの格好のテリトリーとなってしまった

㉕ 王立古代研究所跡

ハイラル城直轄の古代遺物研究機関であったと思われるが、外壁しか残っておらず、研究資料はおろか研究所内部の様子すらわからない。破壊のされ方が執拗で作為的なものを感じるほどだ

㉖ マリッタ交易所跡

辺境の地タバンタ地方と、中央ハイラルとの交易の中心であったマリッタ交易所。中央の木には魔物たちが櫓をこしらえ、交易所全体が彼らの縄張りと化している

㉗ タバンタ村跡

タバンタ地方にあった村。タバンタ地方は雪原地帯であり人が多く住む場所ではなく、一度廃墟となると復興は容易ではない。現在は魔物の住処になっており、雪原を通過する旅人の脅威となっている

民間人の避難と現在の住処

大厄災で多くの人々が命を落としたが、いち早く危険を察知した各地の人々は、ハテール地方へと逃れたようだ。

平原の牧場、メーベの町はハイラル城に近いため避難ができたか難しいところだが、仮に生き延びたとするならハイラル平原を斜めに横断しノッケ川の浅瀬を横断して双子山へ避難したと推測される。交易所、宿場町の民間人はハイラル軍駐屯地およびコモロ駐屯地のハイラル兵に誘導されつつ双子山方面へと避難したのではないか。高地に囲まれたアデヤ村は、ハイラル城の様子をすぐに察知できずに全滅した可能性がある。ハテール地方に無事に逃れた人数は知れないが、100年後である現在のハテノ村の規模からいってあまり多くはないだろう。

いっぽうコポンガ村は、アッカレ砦へと向かうハイラル軍残党兵の退避経路沿いにあるため戦火に巻き込まれた可能性が高い。アッカレ地方は壊滅状態となり、100年経ってようやく新たな村が開拓されようというところである。

▷ 民間人の避難経路

ハイラル平原の町に住む民間人は、同じハイリア人の村があるハテノ地方へと落ち延びていった。ハテノ砦までたどり着いた者は厄災を免れ、戦える者はハテノ砦の攻防戦に加わったと思われる

【壊滅した村】
コポンガ村からハイラル城は距離も近く、大厄災をすぐに察知することができただろう。ハイラル城残党兵が村の横を通過する前にカカリコ村に避難していた可能性もある

▷ ハテノ村

かろうじて生き残ったハイリア人が身を寄せ合い、自給自足の生活を築いていった

▷ ウオトリー村

独特の生活を営む、ハテール地方南端の漁村。中央ハイラルから遠く、大厄災の被害が及ばずに済んだ

▷ イチカラ村

アッカレ地方は壊滅したが、サクラダ工務店のエノキダが発起人となり、新たな村を作る動きを見せた

大厄災で崩壊した参拝の地

大厄災により、参道や祭事施設も崩壊した。

陸の孤島と化している始まりの台地であるが、100年前には門前宿場町から続く街道が整備されており、時の神殿などへの参拝者でにぎわいを見せていたという。現在は街道は崩れ、始まりの台地へと続く門は塞がっている。

始まりの台地には神殿の他にも、傷ついた勇者リンクが眠る回生の祠がある。ガーディアンの侵入をできる限り防ぐため、街道の入口は塞がれたのかもしれない。

知恵の泉がある名峰ラネール山は、17歳未満は入山を禁じられているものの、そのふもとには17歳未満の者も立ち入れる中央広場があった。噴水があり、滝の裏手に回れるなど、景観の良い場所であったことがうかがえる。しかしこれも大厄災により大破。石造りの参道が崩れ落ち、一部が浸水している。

太古の女神ゆかりの地は、こうして人の足の踏み入れられぬ場所となった。大厄災は、人々の信仰心も奪う結果となったのである。

あちこち崩れたラネール参道中央広場。参道西口、中央広場、参道東口を抜けてラネール山へと出立する場所だが、出入りや参拝が困難となってしまった

中央ハイラルから始まりの台地へ続く大手門。大厄災で破壊され、塞がっている

始まりの台地側。街道が続いていた場所は池のように水が溜まり、ガーディアンが横たわる

大厄災と各種族

　ハイリア人以外の各種族にとっても、厄災ガノンの復活は無視できぬものであった。しかしガーディアンの侵攻は、幸いにも各地に迫る直前に停止。神獣も姿を消した。これはゼルダ姫が封印の力で厄災ガノンを抑えたためであるが、シーカー族とコログ族以外はこの事実についてほとんど知ることがないままであった。直接的な被害を免れた彼らは、やがて「大厄災は過ぎ去った」と認識するようになり、武装を解除していった。

　それから100年が経つ頃、封印の力が弱まり、四神獣が再び姿を現して暴走。各地に影響が出た。その数週間後に目醒めるリンクが訪れるまで、解決策を見出せずにいる状況であった。

【勇者を待つコログ族】
コログ族はマスターソードの守護の他、いつか訪れる勇者のために「デクの樹のへそ」と呼ばれる樹洞（うろ）にベッドや店を用意していた

大厄災とシーカー族

　大厄災の日、城や城下町にいた多くのシーカー族は故郷カカリコ村へと避難した。村は被害を免れ、元ハイラル城執政補佐官のインパを族長として暮らしている。シーカー族も比較的長寿の一族であるが、100年前を知る人物は現在インパの他、研究者のプルア、ロベリーの3人のみである。

　インパ、プルア、ロベリーは、万が一カカリコ村で全滅するようなことになればリンクに事の次第を伝承する者がいなくなってしまうため、各地に散らばるという選択をとった。そこでプルアとロベリーは、大厄災から避難する際に運び出したハイラル城の勇導石及びそのパーツとともに古代エネルギー溜まりのある土地へと移っていったのである。古代研究所を構え、私財で遺物研究を再開。稀に書簡で連絡をとりつつ、それぞれの弟子とともにさまざまな実験に明け暮れていた。

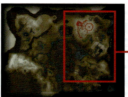
勇導石をリヤカーに乗せ、カカリコ村を出発したプルア、ロベリー。まずロベリーがプルアをハテノ村付近まで見送り、それから奥アッカレへと旅立った。道中ガーディアンの襲撃にあうが、ガーディアン研究の第一人者であるロベリーにとって脅威ではなかったということだ

▷カカリコ村（インパ）

　村の長であるインパが大厄災のことを伝えており、当時を知らない若者にもリンクの風貌やシーカーストーンのことが伝わっている。インパの跡取り予定の孫娘パーヤも、リンクの助けになるべく勇者にまつわる宝珠磨きを日課としていた。

【インパ】
元執政補佐官で、100年前の出来事とゼルダ姫のことを知る希少な人物。ゼルダ姫の伝言をリンクに与える役割を担う。イーガ団からは命を狙われている。現在推定120歳

【最後の写し絵】
ゼルダ姫からインパに与えられた使命のひとつ。リンクには最後に教えるようにと告げられている。ゼルダ姫が覚醒したときのクロチェリー平原の様子で、重大で衝撃的な事実を思い出させるものである

▷ハテノ古代研究所（プルア）

【プルア】
インパの姉で、現在推定124歳。勇導石を研究所に置き、シーカーストーンのアイテム強化の研究に成功する。しかしアンチエイジの実験の手違いで子供の姿になってしまった。弟子はシモン

▷アッカレ古代研究所（ロベリー）

【ロベリー】
勇導石のパーツからシーカーレンジを開発。対ガーディアンに有効な古代兵器を製造することが可能となる。現在推定120歳。研究の補佐として派遣されたジェリンを妻に迎え、男子をもうけた

大厄災とゾーラ族

　ゾーラ族とハイラル王国は、古くから友好的な関係にあった。しかし大厄災により、その関係性に亀裂が生じる。

　ゾーラ族の本拠地であるゾーラの里は、はぐれガーディアンをドレファン王が撃退するという騒動はあったものの、大厄災の直接被害からは免れた。しかし英傑として選ばれた王女ミファーが犠牲となったことで、多くの民がハイリア人への不信感を募らせたのである。

　それから100年近くが経過し、かつては守り神とも呼ばれた水の神獣ヴァ・ルッタが暴走。東の貯水湖に陣取るヴァ・ルッタは大量の水を放ち、それは豪雨のように広範囲に降り注いだ。そのまま放置すると貯水湖が氾濫する恐れがあり、もしもダムが決壊すれば、ゾーラの里だけではなくハイラル中が水浸しになってしまうという危機的な状況であった。

　対策が急がれ、神獣ヴァ・ルッタを止めるには電気の矢が有効であることが判明したが、電気に弱いゾーラ族にはそれを扱うことは難しかった。そのためハイリア人に協力を仰ぐ声があがるが、元老院はこれを拒否。そこでシド王子が独断で里を離れ、幾人かの部下とともにハイリア人の協力者を探すこととなった。

【ゾーラの里と東の貯水湖】
東の貯水湖は、1万年以上も前にゾーラ族とハイラル王国が協力して建造したものである。ゾーラ族が管理を担っており、貯水湖の監視係は水量が臨界に達しそうな場合にはゾーラ王に報告をする義務がある

【シド】
100年前はまだ幼かったシド王子だが、現在は民に慕われる立派な王子となっている

【大雨の被害】
神獣ヴァ・ルッタの暴走により、ゾーラの里も含め常に雨が降り続いているような状況である

【東の貯水湖と神獣ヴァ・ルッタ】
厄災ガノンの手に落ち、暴走した神獣ヴァ・ルッタ。貯水湖の面積は広大であるが、それ以上に広範囲にわたってヴァ・ルッタの放水が雨のように降り注いだ

英傑祭とミファーの想い

　ゾーラ史によれば、太古の昔ハイラルが危機に陥った際、ゾーラ族の姫ルトが賢者のひとりとなり勇者たちとともに世界を救ったという。水の神獣はその名にあやかり「ルッタ」と名付けられているのだ。そして、厄災ガノン復活の際に英傑としてゾーラの姫ミファーが選ばれたこともまた、一族の誉れであった。

　王女ミファーは誕生の際、彫金職人から「光鱗の槍」を贈られ、王室騎士団の指導下でその槍術を磨いていった。しかしミファーは大厄災によって帰らぬ人となる。里は深い悲しみに包まれ、鎮魂のため光鱗の槍を川に流そうとした。そのとき、槍が輝き言葉を紡ぎ始めた。光鱗の槍は私、ミファーであると。それからというもの里では、ミファーの命日である大厄災の日に光鱗の槍を飾り、彼女を称えることになった。これが英傑祭の始まりである。英傑祭の歌は、「天から降りし 光鱗が セラの足元 断ち割れば 光り 煌めき 試練 現わる」と歌われている。

　ミファーはリンクが幼い頃からの顔なじみでもあり、リンクに好意を抱いていた。ゾーラ族王家の女性は、将来の婿の無事を祈って己のウロコを編み込んだ鎧を贈る習わしがあるが、ミファーが生前にこしらえた鎧はリンクにぴったりであった。

【ミファーの像】
里の入口に設置された像。英傑として選ばれ、帰らぬ人となったミファーを偲び讃えているものである。光鱗の槍を構えている

【ゾーラの鎧】
ミファー手製のゾーラの鎧を着たリンク。ちょうどの大きさであったことが、ミファーの想い人であることの何よりの証拠であった

【ドレファン王】
ミファーの思いを誰よりも知る王は、大厄災の後もハイリア人に対して恨みをもつようなことはせず、リンクが生きて再び里を訪れたことを喜んだ。そして、ミファーもまた神獣ヴァ・ルッタの中で生きているのではないかと一縷の望みを抱いたのである

393

大厄災とゴロン族

ゴロン族の住むゴロンシティはデスマウンテンにあり、大厄災の直接被害からは免れた。その数十年後、「採掘会社ゴロン組」を立ち上げたブルドーが鉱石の採掘を一族の生業として発展させ、組長と呼ばれて一族を仕切ることとなった。灼熱の地であるため他種族は耐火仕様の服や薬が必須であるものの、観光業も盛んになり経済発展を成功させたのである。

そんなブルドーも大厄災の経験者ではないのだが、英傑として選ばれた英雄ダルケルについては現在も語り継がれており、ダルケルの子孫ユン坊に「ダルケルの護り」が受け継がれている。しかし、神獣ヴァ・ルーダニアが暴走。採掘や観光に影響が出て、経済が滞り、人々は頭を悩ませた。ブルドーはユン坊を大砲の弾にしてルーダニアの撃退を試みるが、根本解決にはいたらなかった。

【暴走するルーダニア】
デスマウンテンの山肌に張り付き、周囲を監視。近づく者がいると火山弾を降らせるため、採掘場の一部が使用不可となった。ユン坊を弾にして当てることにより弱らせると、一時的に火口へと姿を消すが、この繰り返しであった

岩山に残された歴代の英雄たち

100年前、ゴロンシティの猛者ダルケルが英傑として選出された。ゴロンシティの大きな岩山には歴史上の英雄の姿がかたどられているが、後方にはダルケルの姿もある。

ブルドー

ユン坊

大厄災とリト族

リトの村はヘブラ地方の高山地帯にある。中央ハイラルとは渓谷で阻まれ、観光などの開発も進んでいないため、ハイリア人の往来は多くはない。しかし神獣ヴァ・メドーを操る英傑として、リト族の戦士リーバルが選出されていた。とりわけ長命の種族ではないため、現在は100年前の大厄災について直接知る者はいない。しかし族長カーンは村の誰よりも大厄災について詳しく、英傑たちの特徴もある程度把握しているほどである。メドーが暴走した際も、内部から制御すれば停止するであろうこと、内部に入れるのは英傑だけであることまで理解していた。

村付近の空を回遊するメドーは、暴走により近づく者を狙撃するようになった。そのため空からの移動ができなくなり、飛行の訓練はおろか村の出入りも徒歩で行わなければならない状態に陥った。戦士テバ、ハーツの2人はメドーの偵察を試みるが、ハーツは負傷。テバは怒りに任せ、無謀にも1人で撃退に向かおうとした。

【暴走する神獣 ヴァ・メドー】
砲台を持ち近づく者を迎撃するばかりか、バリアを張って防御する

飛行訓練所とリーバル広場

村の北の飛行訓練場へと飛び立つ場所は、英傑の名にあやかってリーバル広場と呼ばれている。飛行訓練場は元々、英傑リーバルが建造を所望したもの。上昇気流を使って飛行と弓の訓練を行うことができる。リーバルは戦士を育成したいと考え、後に訓練場は子供たちの訓練の場として開放された。

族長カーン

過去はリトの戦士で、テバの師匠でもあった

テバ　ハーツ

村のリーダー的存在だが無鉄砲な戦士テバと、弓職人のハーツ。2人は幼馴染である

大厄災とゲルド族

100年前には族長ウルボザが英傑として選出されており、ハイラル王家との親交もあったゲルド族。ゲルド族は中央ハイラルより南西の砂漠地域に暮らしており、王宮のあるゲルドの街はもちろんオアシスの交易所カラカラバザールにも大厄災の被害は及ぶことはなく、それまでと変わらない暮らしを続けていた。

現在はゲルド王族のルージュが族長として一族を取りまとめている。しかし先代族長である母親が亡くなったことで族長を継いだルージュは、まだ幼さが残る年齢であった。

そのような中、神獣ヴァ・ナボリスが突如暴れ出し、砂嵐と雷を巻き起こして周囲を不安な状況に陥れた。ゲルドの宝である「雷鳴の兜」も賊（イーガ団）に奪われ、族長を継いだばかりのルージュにとって前途多難な道のりとなった。ルージュは自らナボリスの調査にあたるが、その混乱に乗じて賊の侵入を許したこともあり、現在ゲルドの戦士一同気を引き締め直しているところであった。

【神獣 ヴァ・ナボリス】
はるか遠くからも見えるような巨大な砂嵐を巻き起こし、砂漠を縦横に移動するナボリス。近づく者には電撃が浴びせられる

【族長ルージュ】
気丈に振る舞うものの、その幼さから家来や民衆から不安の目で見られていると感じていた。長としての責任が重圧となっているが、雷鳴の兜（右）を正しく扱えるのは王族だけであり、取り戻してからはその責を果たすべく自信をつけていく

ゲルド語

ゲルド族はハイリア人との共通語のほか、特有のゲルド語を話す。ハイラル王国とは文字も異なる。

サヴォッタ	＝ おはよう	ヴォーイ	＝ 男性
サヴァーク	＝ こんにちは	ヴァーイ	＝ 女性
サヴァサーヴァ	＝ こんばんは	ヴェーヴィ	＝ 子供(赤ちゃん)
ヴァーサーク	＝ いらっしゃい	ヴァーバ	＝ おばあちゃん
サークサーク	＝ ありがとう	ヴァード	＝ 鳥
サヴォーク	＝ さようなら		

ゲルドの王と厄災ガノンのお伽話

ゲルド族は女性しか生まれない一族。ゲルドの街は男子禁制の決まりがあり、男によって災いがもたらされると伝えられているのだ。しかし太古の昔には、100年に一度男子が生まれ、ゲルドの王になるという習わしがあった。

お伽話によれば、厄災ガノンは、元はゲルド族であったという。ゲルドの首領であったガノンドロフという男が、魔王となりハイラルを我が物にしようと企んだ。しかしその野望は、退魔の剣を携えた勇者によって打ち砕かれる。力の暴走によって魔獣ガノンへと姿を変えるものの、姫と賢者によって封印された。勇者と姫を恨み、長い時代を経て幾度となく復活しては封印されていくうちに、魔王ガノンはハイラルそのものに取り憑く怨念と化してしまったという。

魔王が世に誕生したいっぽう、ハイラルの世界を救う賢者となったゲルド族もいる。名はナボール。神獣の「ナボリス」は彼女から命名されたものであり、英傑ウルボザや現族長ルージュも同族の者として敬愛する伝説のゲルド族である。

ゲルド族の記録によると、厄災と化したゲルドの王の登場以降、男性の首領が現れたという記録は残されていないようだ。そしてはるか太古のゲルド族は、現在とは違う丸い形の耳をしていたという。これはヴォーイ・ハントの風習から緩やかに時をかけて変化していったという学説が主流であるが、「太古の昔に厄災ガノンの元凶を生み出してしまったことを恥じ、ハイラルの神々の声にも耳を傾けるようになったことからいつしか同じ耳の形になった」というお伽話も伝わっている。

【ゲルド族の耳】
ハイリア人と同様、とがった耳をもつゲルド族

【英傑ウルボザの思い】
復活した厄災ガノンを見つめながら、ゲルドの歴史を顧みるウルボザ。一族の誇りにかけ、ナボリスを「立派なゲルドだ」と鼓舞し、厄災ガノン討伐を誓う

395

勇者の目醒め

大厄災の日から、100年という年月が経過した。ゼルダ姫の封印の力は弱まり、勇者リンクの目醒めが近づいていた。四神獣が暴走し始めてから数週間後。長い眠りから目醒めたリンクは、シーカーストーンを手に取り回生の祠から旅立ったのである。

このときリンクはかつての記憶を失っており、どこからともなく呼びかけてくる声に導かれるまま、土から露出した勇導石にシーカーストーンをかざした。すると、シーカータワーのひとつ「始まりの塔」が勢いよく姿を現し、大地が大きく揺れたかと思うとハイラル中にあるすべての塔が地中から出現。同時に、古代の祠が一斉に光りだしたのである。

高い塔の上でリンクは、禍々しい怨念に包まれたハイラル城を目撃する。リンクは謎の老人の導きで4つの祠の試練をこなし、シーカーストーンの機能を拡張させる。その老人の正体は、大厄災で命を落としたハイラル王の魂であった。ハイラル王は100年前に起こった悲劇、そして今もゼルダ姫がハイラル城で孤独に戦っていることを語り、リンクにパラセールを授けた。

リンクはパラセールを手に始まりの台地から旅立ち、ゼルダ姫を救うべく、ハイラルの大地に足を踏み出したのであった。

【パラセール】
風を受け、滑空するための布。木枠の骨組みがあり、ふだんはコンパクトに折りたたんで使用するときに広げる。布には、リトの村にあるリーバル広場などに見られるリト族特有の模様が描かれている

TIPS

100年の眠り

シーカー族たちによって回生の祠へと運ばれ、プルアたち研究者によって回生の眠りについたリンク。かつての戦いで受けた傷は深く、回復するまで100年もの年月が費やされた。無事目醒めたものの肌には無数の傷跡があり、それは100年前に負ったときの位置、数と一致することをロベリーが確認済みである。傷が浅いか、もしくは回生の祠の機能がより向上していれば、もっと早く目醒めていた可能性もあるだろう。

シーカーストーンの持ち主

かつてシーカー族が勇者のために用意したシーカーストーン。勇導石の操作パネルにかざし、認証を行うことができる。リンクはこれを使用しやすいよう腰に携えた。100年前の英傑リンクとともに眠っていたことも知る人ぞ知る事実であり、その風貌とともに勇者の証ともなった。

リンクが腰に携えたシーカーストーンを見て、100年前の英傑もしくはそのゆかりの者であると気づかれる

始まりの台地

始まりの台地は、由緒ある神殿、森、水辺、雪景色の高山、そして断崖絶壁……と、総面積はそれほど広いわけではないにもかかわらず、豊かな景観を望むことができる。そして始まりの台地の4つの祠は、勇導石からシーカーストーンに新たな力を与え、その訓練となるものであった。勇者として古代シーカー族が残した数々の試練に挑戦していく始まりもまた、この台地だったということであろう。

ゼルダ姫の誘導による始まりの塔の起動

100年前の研究で解明できなかった祠の起動方法であるが、リンクがシーカータワーを起動したことで機能回復にいたった。これは、シーカータワーからの遠隔操作で世界中の塔と祠を作動することができたためである。

リンクをこの行動へと導いたのは、他ならぬゼルダ姫の声だ。ゼルダ姫は大厄災が起こる直前に、遺物の制御機能の仕組みに気がついたのである。リンクの回復まで封印の力を保ち続けられるよう覚悟してガノンに臨んだゼルダ姫であったが、ついに目醒めのときが訪れ、ハイラル城から呼びかけたのだ。ほかにもハイラル王やインパに対してもリンクの助けになるよう導いており、厄災ガノンを抑えるだけではなくさまざまな対策を講じていた。

【始まりの塔の露出】
大厄災復活の影響で偶然地中から露出した、始まりの塔の頂部。地中にはかなりの高さの塔が埋まっており、出現時の勢いも凄まじいものである

シーカーストーンの機能拡張

シーカーストーンは勇者が厄災ガノンに対抗すべく、便利な機能を数多く備えている。4つの祠で追加された機能は、丸型と四角型のリモコンバクダン、マグネキャッチ、アイスメーカー、ビタロック。そして塔や祠の認証はもちろんのこと、写し絵、地図、センサー、ガーディアンの位置の察知、ワープ機能といったものを使うことができる。リンクが手にすることによってようやくその役割を発揮したのだ。

【リモコンバクダン】
古代の高度な技術でつくられたバクダン。シーカーストーンによって遠隔操作で起爆することができる。丸型、四角型の2種類があり、状況によって使い分けることができる

【アイスメーカー】
水面に氷柱を作り出すことができる。氷柱はとても固く溶けることもないが、シーカーストーンで凝固させることができるのはこのくらいのサイズが限界のようである

祠にある勇導石から新しいアイテムを得た瞬間

始まりの台地における老人の暮らし

ハイラル王の魂が扮する、謎の老人。記憶を失ったリンクを導いた。しかしながらこの地で本当に暮らすかのように存在し、リンクに生き抜くための知恵を授けていったのである。

謎の老人　　ハイラル王

ハイラル王が扮した老人(左)と、魂の姿(右)。ひとりハイラル城で戦い続ける娘、ゼルダ姫のことを案じていた

【老人との出会い】
リンクの目醒めを悟ったかのように、回生の祠付近で焚き火に当たっている老人。現代でリンクが初めて見る、人の姿であった

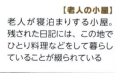
【老人の小屋】
老人が寝泊まりする小屋。残された日記には、この地でひとり料理などをして暮らしていることが綴られている

【老人の生活】
斧で木を切り、弓矢で狩り、鍋で料理といった具合に、自給自足の生活をリンクへの手本として見せる

397

古代技術の解明

　現在「遺物」と呼ばれるものは、1万年前の古代シーカー族が高度な技術をもってつくりあげた兵器や装置、施設である。かつてその技術をもって厄災ガノンを封じたため、シーカー族の研究者は遺物の解明を進めていった。

　遺物の動力源となるのが、現在「古代エネルギー」と呼ばれているものである。古代エネルギーは粘度の高い液体のようなもので、ハイラル城の地下に潤沢に存在している。古代シーカー族はこのエネルギーを用い、勇導石と呼ばれる端末、情報をやりとりするための制御装置などをつくりだした。果てには厄災ガノン封印を成功させたのである。

　遺物が青白く発光するのは、古代エネルギーによって作動していることの証である。また、リモコンバクダンなどもこのエネルギーを何らかのかたちで利用したアイテムであると思われる。

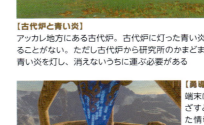

【古代炉と青い炎】
アッカレ地方にある古代炉。古代炉に灯った青い炎は、1万年前から消えることがない。ただし古代炉から研究所のかまどまでは、たいまつなどに青い炎を灯し、消えないうちに運ぶ必要がある

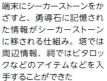

【勇導石と端末】
端末にシーカーストーンをかざすと、勇導石に記憶された情報がシーカーストーンに移される仕組み。塔では周辺情報、祠ではピタロックなどのアイテムなどを入手することができた

【古代炉の位置】
東ハテールのハテノ村の外れと、奥アッカレのコーヨウ台地に古代エネルギー溜まりが発見された。これによりハイラル城以外でも遺物の研究が可能となった。また、研究のためには情報を記憶するための勇導石も欠かせない

【遺物の発光】
青白く、もしくはオレンジ色に発光する遺物。ただし厄災ガノンに乗っ取られた際にはピンク色に発光していた。古代エネルギーに代わって怨念が入り込んでしまったことの現れなのか

遠隔操作により起動したと思われる各地の塔、祠と中央制御装置の存在

　リンクが始まりの塔の端末にシーカーストーンをかざすと、全15基の塔が地中から姿を現し、ハイラル中の祠が光り出した。これは、ハイラル城にあると思われる中央制御装置に遠隔で情報が伝わり、そこからさらに各地の塔と祠に情報が行き渡って一斉に起動したからだと推測されている。この仮定により遺物の解明を進めることができた。もしも100年前に制御装置をオンにすることができたならば、当時祠を起動することも可能であっただろう。

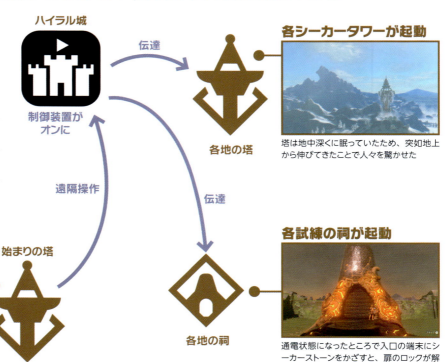

リンクが情報端末から起動
大厄災の影響で、塔の先端と勇導石がたまたま地上に露出していた

各シーカータワーが起動
塔は地中深くに眠っていたため、突如地上から伸びてきたことで人々を驚かせた

各試練の祠が起動
通電状態になったところで入口の端末にシーカーストーンをかざすと、扉のロックが解除される仕組み

塔と祠の段階的作動

塔が地上に伸びただけではまだ、その役割は果たせていない。起動状態になった塔の端末にシーカーストーンをかざすことで、頂部のアンテナが伸び、周辺情報がシーカーストーンへと送られるのだ。祠もまた、通電状態ではオレンジ色に光り、扉のロックが解除されると半分が青く光る。そして勇者が試練の証を手に入れると、全体が青く光るようになっている。

シーカーストーンによる認証前（左）のタワーはオレンジ色に光り、認証後（右）は頂部のアンテナが開いて直立し、タワー自体は青く光る

神獣の制御

約100年前に発掘された際、神獣に古代エネルギーを送り込み、シーカーストーンをかざすことによって起動が成功した。

神獣の内部には、構造マップの情報が記憶された勇導石と、複数の制御端末、メイン制御装置がある。制御端末をすべてオンにし、メイン制御装置を起動することで完全制御が可能な状態となる。厄災に対し、凄まじいエネルギーを照射できる。

【制御端末】

【メイン制御装置（起動前）】

100年前の把握状況と現在の状態

100年前は、伝承にある古代柱や塔の発見はおろか、祠を起動することも叶わなかった。これは中央制御装置が待機状態になっていたためと推測されるが、当時の研究ではその根本を理解しておらず、解明に至らなかったのである。以下に、100年前の判明状態や現在の状態を表す。

【始まりの塔の勇導石】
古代の祠以外のあらゆる遺物は地中深くにあり、神獣は発掘できたが多くの遺物は発見できなかった。始まりの塔の一部が露出したことは幸いである

	本来の機能	100年前の状況	現在の状況
古代柱	ガーディアンが格納されており、厄災ガノンの復活に伴って、地中深くから出現する	ガーディアン格納庫としてハイラルを取り囲むように地中に存在していることは判明しているが、発見ならず	厄災ガノンの復活に伴って地中深くから出現した。ガノンの怨念で汚染され、ピンク色に発光している
四神獣	4または5つの制御端末をオンにすると、メイン制御装置を起動できる。完全に制御可能な状況においては、照準を合わせ、エネルギー砲を照射し厄災ガノンを砲撃する	伝承にある4体を発掘、起動。操縦者として4人の英傑が任命され、操縦訓練が行われる。しかし大厄災によりカースガノンに乗っ取られ、英傑の魂が幽閉された	カースガノンに乗っ取られ、操縦者である英傑の魂が幽閉されたまま100年が経つ。封印の力が弱まり、暴走。メイン制御端末を起動すると取り戻すことができる
ガーディアン	古代柱に格納され、厄災ガノンの復活の際に大群が出動。厄災ガノンを攻撃する	ある程度の数を発掘、稼働状態へ。しかし復活した厄災ガノンに乗っ取られる	厄災ガノンに乗っ取られ、敵兵として利用される
古代エネルギー	粘度の高い液体のようなもので、古代技術を用いたさまざまなもののエネルギー源となる	ハイラル城にエネルギー溜まりがあり、これを研究に利用	東ハテール、奥アッカレに古代エネルギー溜まりを発見。古代炉に灯った青い炎を利用し、遺物研究が進められている
勇導石	情報を保存するための記憶装置。端末や制御装置とセットで使用されることが多く、さまざまな遺物に組み込まれている	神獣の他は、ハイラル城にある1つだけが存在を確認できていた。古代エネルギーとシーカーストーンを使い、さまざまな情報を伝達するものとして研究が進められる	ハイラル城のものを運び出しており、研究を再開している。アッカレ古代研究所では、シーカーレンジへと姿を変える。あらゆる遺物にも組み込まれ、リンクが作動させる
シーカーストーン	厄災に対抗する勇者のためにつくられたもの。各地の祠や塔の端末と情報をやりとりすることができる。古代シーカーのアイテムを使用可能であり、地図と捜索機能、写し絵といった便利な機能も備える	発掘、写し絵などの機能を利用可能。祠の起動に関係するとみてゼルダ姫が所持し研究を進める。リンクとともに回生の祠に封印された後、プルアは多様な機能があることを古文書で見つけるが、追加方法はわからず	リンクが所持。始まりの塔を起動後、あらゆる勇導石の起動に使用。始まりの台地の祠で新たな機能を得て、さらに古代研究所にてパワーアップできるようになった
シーカータワー（塔）	厄災の復活を察知するための塔。合計15基が各地に存在。古代エネルギーが送られることで地上に伸びる。頂部にある勇導石から、シーカーストーンに周辺情報を獲得可能	把握ならず。地中深くに存在していたが、大厄災の衝撃で始まりの塔の一部が露出した	リンクが始まりの塔を起動、それに伴いハイラル中の塔が地中から出現する
試練の祠（古代の祠）	古代シーカー族の導師によってつくられた施設。シーカーストーンで入口のロックを解除でき、勇者に試練とその克服の証を与える。通電状態であればオレンジに光り、シーカーストーンで探知、ワープが可能。試練を克服すると青く光る	各地に存在する謎の遺物。勇者のための施設であることは判明しているが、開くことができず。そもそも起動できない状態であったことも把握ならず	リンクが始まりの塔を起動、それに伴いハイラル中の祠が通電状態に。シーカーストーンによる認証で入ることが可能となった。吟遊詩人カッシーワが探している勇者の詩は、隠された祠のヒントとなる
回生の祠	巨大な装置を備えた医療施設。傷の回復を可能とする。また、神獣の操作訓練施設の役割も持つ	始まりの台地の祠が、回生の祠と呼ばれる医療施設であることが判明している。瀕死のリンクが運ばれることとなる	100年の時をかけてリンクの傷を回復。リンクが目醒める。後に、神獣操作のための訓練設備が発見される

399

大厄災の魔物への影響

　100年前、厄災ガノンの復活が近くなった頃からハイラルにおける魔物の数が増大し、民間人が襲われる被害が相次いでいた。厄災ガノン復活の後には、その勢いがさらに活性化。たとえばボコブリン種は、元々ハイラル中に生息している一般的な魔物の種であった。それが街道に頻繁に出現しては旅人を襲ったり、野生動物を狩って土地を占有するなど、人々の生活を脅かすようになったのだ。

　ほかにも、死んだ魔物が赤い月とともに復活したり、白銀と呼ばれる強力な魔物が現れたりと、厄災ガノンの魔力は魔物にさまざまな影響を与えた。

【さまざまな魔物】
同じ魔物でも、生息地によって姿や特徴が異なる。夜には、骨となったボコブリンなどが地中から湧き出すため、出歩くことは危険である

　このように魔物は恐ろしい存在であるが、その爪や羽などは、古くから人間の役に立つ素材として利用もされている。当然ながら、より強力な力をもった魔物から取れる素材は高い価値のつくものである。魔物から得る素材の利用や売買については今に始まったことではないが、それらの利用頻度が高まったり、新たな商売が可能になったりなど、何らかの利益を得た者も少なからずいるだろう。

【魔物素材】
爪や牙、尾といった魔物の一部。薬などの材料となる

【薬】
魔物から得られる素材と、何かしらの効力をもつ動植物などを煮詰めることで、さまざまな薬ができあがる

【染色】
チュチュゼリーなど、一部の魔物素材は染色の材料として利用されている

白銀と呼ばれる魔物

　厄災ガノンの影響で凶悪な魔物が増えたが、なかでも「白銀」と呼ばれる魔物が現れたことが大きな変化である。白い体に紫色の模様があり、同種の魔物の中でより強い力をもつ特別な存在感を放っている。これらは、勇者リンクが魔物を数多く討伐していくに伴って現れた存在でもある。魔物自身、もしくは厄災ガノンがリンクに対して危機感を抱き凶暴化したものと思われ、体表に見える紫色の模様はガノンの影響を受けた証と言われている。

白銀のボコブリン　白銀のライネル

赤き月の刻

　厄災ガノンの影響により、時に赤い月が昇る現象が起こるようになった。赤き月の刻、もしくはブラッディ・ムーンと呼ばれる。ガノンの怨念により空が赤く染まり、死んだはずの魔物の魂が蘇るという現象である。

　いくら魔物を退治しても蘇ってしまうため、たとえ魔物の縄張りとされた土地を取り戻したとしてもその戦力はまた回復されてしまう。そのため人々が安全に暮らせるハイラルに戻すためには、根源となる厄災ガノンを討つほかなかった。

赤い月によって蘇っていく魔物の様子。厄災ガノンの怨念が、魔物に力を与えるようだ

集団を形成する魔物

さまざまな魔物が生息する中でも、ボコブリン、モリブリン、リザルフォスの多くは集団を形成したり、拠点を構えて行動していることが多い。比較的小さな集団は防御用の木のバリケードを立て、櫓を組み、見張りを配置して敵の侵入を監視している。大きな集団になると多重構造の大きな櫓を造ったり、ドクロ型の岩を根城としたりなどさまざまだ。

廃墟となった村や施設の多くも、これらの魔物の基地として利用されている。厄災ガノン復活後のハイラルは、魔物にとって暮らしやすい世になったと言えるだろう。

▶ ボコブリン

ハイラル中のあらゆる場所に生息している。馬に乗り集団で襲い掛かってくることもあり、ハイリア人にとって最も身近で恐るべき魔物である。

獣を狩り火を使うことができるためそこそこの知能を有していることがうかがえるが、楽観的に自身らの暮らしを営んでいるようだ。とくに始まりの台地などの外敵の少ない地域に生息するボコブリンは、外敵から狙われやすい崖の下、退却ルートのない袋小路など、縄張りのおさえ方が甘い印象だ。

三方を崖に囲まれているため一見安全そうに見えるが、背後の高所から狙われたらボコブリンにはほぼ勝ち目がない。また、手前の一本道から敵に襲われた場合の退路が見当たらない。防御施設に見えるドクロ岩も、これ自体が退路を封じており、崖とドクロ岩の二重の檻の中にいる状態と言える

木の板によるバリケードで敵の侵入を妨害し、死角となるエリアを補完するために櫓に見張りを立てている。比較的しっかりした縄張りをつくっているが、見張りがバリケードよりも低い位置にいるためバリケードが死角となり、攻め手が近づきやすい。実に惜しい

▶ モリブリン

ハイラル全土に生息している。ボコブリンよりも格上の種族であり、体力に優れ攻撃力も高い危険な魔物である。

モリブリンは塔の周辺、遺跡群など施設や遺跡を支配下に置くことが多い。縄張りの構築も広域にわたる。たとえばハテノ地方のシーカータワー周辺では、塔に続くふもとの道から見張りを配置して侵入者を防いでいる。古代石柱群やコーヨウ台地を縄張りとするモリブリンも持ち場を徘徊しつつ敵を監視している。強靭な肉体を持っているためであろうか、モリブリンのみで形成する集団はバリケードに頼らない印象である。

縄張りとするエリアを徘徊し、バリケードに頼らない。その大きな身体そのものがバリケードのようなものである。背も高いので櫓に乗らなくても広範囲を視界に入れることができる

ハテノの塔付近。塔へと続く道を徘徊し侵入者を監視している。中心エリアより手前を押さえることで攻め手の侵入を許さない

▶ リザルフォス

ハイラル全土に生息している俊敏なトカゲ類の魔物。

生息区域による特徴が見られ、水辺に生息するリザルフォスは水上に足場を組み拠点を形成している。いわば天然の水堀で外敵から身を守っている状態だ。魚の骨を頭上で組んだ簡易的な拠点であるため防御力にやや欠けているが、地上から遠い位置に拠点を置くことで遠方からの狙撃を回避することができる。

雪山・砂漠に生息するリザルフォスは、擬態することで敵を己の攻撃範囲に誘い込み、外敵から身を守っている。

リザルフォス類はボコブリンよりも知能が高く、モリブリンよりも華奢であると言える。そのため巧みなバリケードを配置し、外敵から身を守っていると言えるだろう。

魚の骨で作られた拠点。リザルフォスは泳ぐことに長けているため、敵を見つけたらあっという間に間合いを詰めてくる。水辺は基本死角となる場所がないため、攻め手が監視の目をかいくぐり泳いで近づくことは難しい

401

ガノン討伐

　厄災によって壊滅したハイラル城は、100年ものあいだ放置されていた。ゼルダ姫が厄災ガノンの侵攻を抑えているとはいえ、城周辺では多くのガーディアンが稼動しているため、近づくことは叶わないのである。
　そのような危険地帯であったが、リンクはゼルダ姫の声に応じ、厄災ガノンの怨念はびこるハイラル城へと乗り込むこととなる。ガノン討伐へはリンクが単身乗り込むことも可能であったが、乗っ取られた四神獣を取り戻し、かつての布陣で臨むことが有利な手段であった。神獣内部に囚われていた英傑の魂を解放すると、英傑らはリンクを援護するため、照準をハイラル城へと合わせた。
　ハイラル城を取り囲む暗雲のようなものはガノンの怨念であり、実体は完全復活に向けて繭の中で力を蓄えていた。リンクがその前に立つと、ガノンは不完全な状態で姿を現す。四神獣の援護と、退魔の剣をもって、リンクはこれを討つことに成功する。
　しかし、ガノンは復活を諦めない妄念から暴走。憎悪と怨念は獣のような姿をかたどり、魔獣ガノンとなって城外へ飛び出した。ゼルダ姫の封印の力ももはや長くはもたず、否が応でもこれが最後の戦いである。ゼルダ姫が光の弓矢をリンクに授け、リンクがガノンを弱らせたところで、ゼルダ姫の封印の力をもってこれを鎮めた。これをもって、ハイラルから再び厄災ガノンの脅威が退けられたのである。

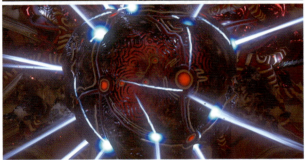

【厄災ガノン】
厄災ガノンの本体。ゼルダ姫の封印の力も弱まり、繭を破って出現したものの完全復活を遂げたわけではなく、見た目にも不気味な不完全状態である

ゼルダ姫の封印と解放

　100年ものあいだ、たったひとりで厄災ガノンを抑え続けたゼルダ姫。その方法は想像を絶するものであった。厄災ガノンに食われ、体内から封印の力を使ったのである。ゼルダ姫の決死の戦いにより、各地のガーディアンの侵攻は止まり、ハイラル全土に被害が拡大することを防ぐことができたのだ。
　さらには光の弓矢を授けるなど特別な力を発揮。ゼルダ姫がもつ聖なる力はたいへん強力なものであったと言えよう。

ゼルダ姫が魔獣ガノンの体内から封印の力を使い、光の矢の狙いを定めさせる様子

ゼルダ姫が解放された瞬間。無事に救われたゼルダ姫は、100年前と変わらぬ姿格好であった

404

神獣の砲撃

　リンクと怨念ガノンが対峙し、四方から砲撃する四神獣の姿は伝承図のとおり。まさしく現代に蘇った古代技術である。その攻撃はガーディアンとは比較にならないほど凄まじい威力であり、厄災ガノンに打撃を与えた。

最終決戦地

　魔獣ガノンと城外にて対峙することとなったリンク。その場所はハイラル平原の風見の草原（東側）で、ハイラルの中心にあたる場所だ。ガノンがさらに外へと飛び出さないよう、ゼルダ姫により特殊な結界が張られ、その光の壁のような中で戦いが繰り広げられた。

広大なハイラルにおいてはほんの一部の場所のように見えるかもしれないが、馬で駆け回っても魔獣ガノンと十分な距離が取れるほど広い面積である

復興に向かうハイラル

　ガノンの脅威を打ち砕いてからは、大厄災の影響で荒れたハイラル全土の復興が少しずつ進められていった。ゼルダ姫はハイラル王国の再建だけでなく、停止した四神獣とその周辺の状況確認など、多忙を極めた。
　勇者として活躍した騎士リンクもまた、任は解かれたはずであるが、その姿を見守り支え続けている。
　封印の力は100年の封印により枯れ果ててしまったと言うゼルダ姫だが、彼女の目には、より良いハイラルを築けるはずという希望に満ちた未来が見えていたのである。
　大地には、ゼルダ姫が研究していた絶滅危惧種の姫しずかが咲き乱れるようになっていた。

年代不明遺跡 ～ハイラルの神秘～

▷ 古代ハイリア文化

　100年前の時点ですでに「遺跡」として存在している、タバンタ辺境の古代石柱群。これは、太古の女神に由来する3つの泉と年代が相応するものと思われる。そのため同様の石柱が見られる場所、また石材で作られた廃墟は古代ハイリア文化の遺跡として分類し、地図上では黄色で示した。

【古代石柱群】
石柱で構成され、アーチが活用された様式が特徴と見られる建造物

【忘れ去られた神殿】
100年よりもっと古から人々の往来がなくなっていたと思われる神殿

▷ 辺境の遺跡

　南西に広がる砂漠には、ゲルド民族の遺跡が多く残されている。また、ウオトリー村の近辺にも古代民族のものと思われるヤシノ遺跡が残っているが、いずれも年代は不明である。

【ゲルド遺跡】
ハイラル王国とは別の文化を歩んできたゲルド族。残る遺跡もハイラルのそれとは異なり、独特の模様や形状が見られる

■ 古代ハイリアの遺跡　■ ゾナウ民族の遺跡

大厄災で壊滅した跡地以外にも、ハイラルには古い「遺跡」と見られる場所や廃墟が多数ある。これらを年代不明遺跡として分類し、本章の最後に記すことにした。地図上では主にハイリア人の古代文化にまつわる遺跡（黄色）と、古代民族のものであると考えられる遺跡（緑色）を記載。この他にもゲルド族など各種族の遺跡も残る、神秘の大地がハイラルなのである。

▷ 謎の民族ゾナウ

謎の遺跡と民族、それがゾナウである。フィローネを本拠地とした蛮族と言われているが、ゾナウ遺跡群と同様の意匠が見られる遺跡を地図上に緑色で記すと、ハイラルに広く点在することがわかる。彼らは巨大な城を建造しているうえ、試練の祠と連動する様子も見られるなど不可解な点が多い。まじないの力を持ち、数千年前に忽然と姿を消した民族ともささやかれ、その謎は解けることのないハイラル随一のミステリーとなっている。

【ゾナウ遺跡群】
ゾナウ本拠地。水竜信仰があったと思われ、竜をかたどった岩が多く見られる。勇気の泉を囲う岩もまた大きな竜の顔のようになっており、ゾナウにとっても聖域とされていたようである

【各地のゾナウ石柱】
ゾナウの塔とも呼ばれる目的不明の石柱。まじないに使っていたものと思われるが、ハイラルのいたる場所にありその神秘性を増している

各地で多く見られる渦巻き模様もゾナウの特徴

407

ゼルダの伝説 THE LEGEND OF ZELDA BREATH OF THE WILD

Key Person Interview
開発を終えて

2017年3月3日に発売された
『ゼルダの伝説　ブレス オブ ザ ワイルド』は、
「日本ゲーム大賞 2017[※]」での大賞受賞をはじめ、
世界中で高い評価を得ている。
その状況を開発スタッフはどう見ていたのか、
そして制作を振り返り何を思うのか。
当初から発表されていたダウンロードコンテンツ第2弾までの
制作を終えた今だからこそ語れる、
前人未踏の開発の裏側を本書の締めくくりとして語っていただいた。

2017年10月末日 任天堂本社開発棟にて
取材・文●左尾昭典／坂井一哉　撮影●中道昭二

[※] 一般社団法人コンピュータエンターテインメント協会主催による、優れたコンピュータエンターテインメントソフトウェアに贈られる賞

6歳から74歳までのプレイヤー

おかげさまで『ブレス オブ ザ ワイルド』は、日本ゲーム大賞2017をいただくことができました。この受賞はスタッフ全員にとって喜ばしいものでしたし、大賞に推してくださった方々の感想を読める大変貴重な機会もいただきました。いただいた感想について、まず最初に応募してくださったのは6歳から74歳までの、とても幅広い年齢層の方々だったことに驚きました。そしてそれ以上に衝撃的だったのは、年齢の異なるみなさんが「ここのネタが楽しくて、すごくワクワクしました」と、ハイラルの大地を冒険しながら発見できる喜びや、寄り道する楽しみについて、同じような感想を寄せてくださっていたことです。僕たちが想定していた、こんな楽しみ方をしてほしいという想いが、年齢に関係なく、世代を超えて届いたということがわかって、すごくうれしかったです。

さて、今作の開発は、前作の『スカイウォードソード』の開発が終わってから正式にスタートしたのですが、2017年3月3日に本編を発売したあとも、ダウンロードコンテンツを開発するなど、とても長期の開発になりましたし、これまでのシリーズのなかでも、最もパワーをかけたタイトルになりました。でも、だからといって、開発中にきついなぁとか、つらいなぁとか感じることは一切ありませんでした。それどころか、毎日がすごく楽しかったのです。というのも、新しいアイデアを考えるだけでも楽しいですし、それがゲームの中で実現できる喜びの連続だったんですね。ただ、いろいろなアイデアを考えつつも、とても大きな規模のゲームになりましたから、実装できなかったり、痕跡だけを残しているものがたくさんあるんです。たとえばわかりやすい例で言うと、イーガ団のマークはどうしてシーカー族のマークとは逆向きなんだろうとか、ハイラル王国の王様は死んだというけれど、どのように死んだんだろう、というような謎はたくさん残されているんです。それに、ダルケルやミファーなどの4人の英傑のキャラクター設定についても、本編を開発するときに、細かいところまでしっかり考えていたのですが、本編中ではあまり説明しませんでした。そこで、ダウンロードコンテンツをつくることになり、その第2弾では、リンクを含めた5人の英傑たちにスポットを当てることにしました。シナリオ構成は僕が担当したのですが、本編に残しているたくさんのネタに、彼らを結びつけていく仕事は、本当に楽しみながら行うことができました。

その第2弾の開発では、声優さんの声を新たに収録することになり、僕はその現場に立ち会ったのですが、休憩時間にダルケルとゼルダ姫の声優さんとお話をする機会があったんです。すでに本編が発売されてから時間もたっていましたし、お2人ともプレイをされているというので、感想を伺ったところ、ダルケルの声優さん(※1)は、「いくつもの解法があって、人によって違ったアプローチや謎解きができるのが楽しい」とおっしゃってくださいました。これは僕たちが常に大事にしてつくっていた部分なので、とてもうれしかったです。また面白かったのが、ゼルダ姫の声優さん(※2)は、「100年という時間の重みを感じた」と話されたんです。彼女がプレイしたのは"現在"のリンクですけど、ご自分が演じられたゼルダ姫は、100年前の人で、その知識が丸々あるわけです。つまり普通のユーザーは現代から過去を知るのですが、その真逆で過去を知る人の視点で現代をプレイしていた人の感想が聞けたんです。時の流れもとくに気にしてつくった部分でしたので、この世界でひとりにしか聞けない貴重な感想が聞けたのはうれしかったですね。

この「マスターワークス」についても、ひとこと触れておきたいと思います。注目していただきたいのは、第3章の「HISTORY」です。たとえば「アッカレ砦の構造とガーディアンの侵攻」(P.380)をご覧いただくと、大砲の設置とその向きや、後ろからの攻撃には強いといった解説がされています。このプロ集団の護った砦が陥落し、素人の護ったハテノ砦がどうして防衛できたのか。開発当時も設定はあったのですが、とても細かいことですのでゲーム中で解説するわけにはいきませんでした。それを今回しっかりとまとめてくださっていますので、僕ら開発スタッフとしてもとてもうれしく思っています。繰り返しになりますが、今作の広大な地形には、たくさんの謎が隠されています。ゲーム中ではその説明をしていないことも多いのですが、この本を読むことで、それまでは謎だったことが、「そういうことだったんだ」と納得していただけると思いますし、舞台の裏側を知ることで、より深くゲームを楽しめるだけでなく、「もう一度、そこに行ってみよう」という気持ちになれるのではと思っています。開発スタッフ全員が込めた、細かいところまで物語が語られていますので、2周目のお伴としても、すごく楽しい資料集になっています。ぜひじっくりとお読みいただければと思います。

もうひとつ。このゲームではいろいろな楽しみ方があって、たとえばビタロックで停止させた丸太の上にリンクが乗り、それで遠くに飛んだり、なかには真上に飛んだりして遊ぶ方たちもいらっしゃいます。Nintendo Switchは動画もネットに投稿できるようになりましたが、それらの映像は僕ら開発者も観て楽しませていただいています。ただ、そのほとんどの遊び方は、ほぼ出尽くした感があるのですが……実は誰にも見つかっていないネタは、まだ残っています。ですから、もう遊び尽くしたと考えている人も、この機会に「もうちょっとやってみようか」と思っていただき、プレイしてもらえれば、新しい発見があるかもしれません。

最後になりますが、遊んでいただいたみなさん、どうもありがとうございました！

藤林秀麿 ▷ 1972年、京都府生まれ。『ふしぎの木の実 大地の章／時空の章』からシリーズに参加。『夢幻の砂時計』ではサブディレクター、『スカイウォードソード』ではディレクターの経験を経て、今作『ブレス オブ ザ ワイルド』のディレクターに就任し、開発全体を統括した。

※1 武圧幸史さん ※2 嶋村侑さん

たくさんの資料を公開する意義

『ゼルダの伝説』でシリーズ毎に絵柄が異なるのはなぜ？ そう思ったことのある人も多いのではないでしょうか。ワクワクして冒険に挑みたくなる世界や、そのゲームならではの躍動感を伝えるには、絵でどう表現するのが最適なのか？ とタイトルごとに試行錯誤してきた結果なのですが、今作でも例に漏れず悩み抜きました。とくに今回は、広大な世界に膨大で自由な遊びを詰め込んだ内容に加え、「アタリマエを見直す」というテーマもあり、それをどう絵で表現したらいいか、当初は途方に暮れたことを覚えています（笑）。……と同時に、『ゼルダ』のアートの決定版ともいえるスタイルを確立するのに最適な機会とも考え、悩み抜いた末にたどり着いたのが、世界のリアリティと遊びのプレイアビリティを融合させた今作の絵画調のアートスタイルなんです。たとえば、ゲームの中で木を切るとすぐに薪となるのですが、これはプレイヤーにとって退屈な待ち時間となる部分を「コミカルな演出で省略」したいという意図がありました。こうした「ハイラルではこういうウソをつきますね」という演出を、アートスタイルが写実的ではないことを利用して丁寧に仕込んでいくことで、リアリティを損なわずに無茶なことができる「懐の深い世界」をつくりたかったんですね。その結果、料理鍋に素材を放り込んだら勝手にスイーツが出来るといったちょっと乱暴な遊びや最後にギャグで落とすイベントなど、プランナーが考えた幅の広いネタや遊びを実装しやすくなっていきました。

ただ、そういったアートスタイルの方向性が、はたして世界中の人たちに受け入れていただけるかどうかは、自信と不安がないまぜの状態でした。開発の序盤から、この企画は得体の知れない面白さがありそうだ……という漠然とした手応えは感じていたのですが、購入前に遊んでいただく機会の少ないゲームというメディアの性質上、静止画やPVを見て絵に魅力がないと感じられた方には手に取っていただけないこともあるわけですよね。ところが、2014年のE3[1]で初めてPVを公開したところ……正直、すごくドキドキしていたのですが、結果としておおむね好意的な評判をいただくことができ、「この方向で大丈夫だ」という手応えを感じるとともに迷いなく進めるきっかけとなりました。

制作過程では、こだわった表現がいくつもあります。たとえば、「匂い」もそのひとつです。ゲーム機で匂いを表現することは不可能ですが、「匂いまでも感じられる世界をつくりたい」ということを、開発の初期から地形やエフェクトデザイナー、グラフィックスプログラマーたちと語り合っていました。たとえば現実の世界で、雨が降る前に独特な匂いがすることがありますが、そのような匂いを嗅いだと錯覚してしまう世界です。それと同時に「擬音」が伝わるような世界をつくることも意識していました。効果音が入っていない状態でも、ジメジメ、ム

シムシ、カラカラといった擬音が聞こえてくるような世界を目指しました。視覚情報のみから嗅覚と聴覚を刺激することができたら、それは「生きた世界」たりえるはず！ という意気込みであり、大きな目標でした。さらに、生きた世界を表現するために「空気感」の表現にも重点的に取り組んでいます。たとえば、熱帯雨林では湿度が高くムシムシし、砂漠では日差しが強く、風力によって砂塵の濃さが変わる……といったように、地域による気候の違いをより鮮明に表現するため、ゲーム中の光や湿度を調整しています。その土地にたどり着いたプレイヤーに、旅情を噛みしめてほしかったんですね。ゲルドの街であれば「こんな最果ての砂漠まで…」というのを砂塵にまみれながら（笑）心から実感してほしいと思ったんです。

今作の発売日は、GDC[2]で講演するために、アメリカに滞在していたのですが、その講演後の朝に、ホテルで目を覚ますと、開発メンバーからメッセージが届いていたんですね。そこには「レビューがすごいことになっているので、見て」と書かれていたので慌ててチェックすると、いろいろなメディアのレビューが発表されていて、しかもその時点ではほぼすべてが満点だったんです。それを見たとき、鳥肌が立つくらい感動しました。ゲームの評判はもちろんですが、たくさんのデザイナーたちと長い期間をかけて育ててきた絵づくりへの好意的な言及も多かったことがとてもうれしくて。異国の地、寝起き、ということもあって夢のようなフワフワした経験でしたね。

さて、今回の「マスターワークス」には、普通は社外には公開されないような設定資料がたくさん掲載されていますが、今作ではゲームの広大な世界に付随するように、資料の量もかつてない程膨大になったので、それらを選んだり整理したりするのも大変でした（笑）。そもそもゲーム開発者にとっては、ゲームの本編で表現することがすべてですし、その設定資料はお客様にお見せする前提で描かれたものではなく、あくまでゲーム開発の設計図のようなものなんです。ですから、スタッフのなかには、資料が公開されて恥ずかしいな、と考える者もいると思います。でも、それらの資料をファンのみなさんに見ていただいて、「こうしてゲームはつくられるんだ」ということを楽しんでいただければうれしいですし、何より小さなお子さんがご覧になって、「将来、自分もやってみたい」と思っていただけるような本になれば、たくさんの資料を公開した意義もあると思います。というのも、実は僕自身がそうだったんです。小学生のころにとある設定資料集を読んで、すごくワクワクして、「ものづくりの仕事がしたい」と思うようになり、その結果、任天堂に入ってゲームの開発に携わるようになったんです。この本が、誰かにとってのそういう「大きな出会い」になってくれたら最高です。

たきざわ さとる
SATORU TAKIZAWA.

滝澤 智 ▷ 1972年、長野県生まれ。『時のオカリナ』からシリーズに参加。その後、多くのシリーズタイトルでデザイナーとして制作業務に携わる。『トワイライトプリンセス』のアートディレクターの経験を経て、今作『ブレス オブ ザ ワイルド』においても、アートディレクターに就任。「絵作り」に関連する業務の全般を統括した

※1 アメリカで毎年開催されている世界最大のゲームショウ「Electronic Entertainment Expo」の通称
※2 ゲーム開発者会議「Game Developers Conference」の通称。毎年、世界中のゲーム開発者が同じゲーム開発者に向け、実務的な内容を発表する場

まだ描き続けたいという想い

　僕が関わるアートワークという仕事は、ゲームの開発がある程度進んでからはじまります。今作の場合は、2014年のE3で、初めてPVが公開されることに合わせて広報用のイラストを準備する必要がありました。それに先駆けて、今度の『ゼルダ』はこうなります、というプレゼンテーションが社内で開かれたのですが、そのときに初めてオープニング映像を観ました。100年の眠りから目覚めたリンクが、回生の祠から出て、ハイラルの大地と向き合うというこのムービーを観て、「この『ゼルダ』やりたい」と思わされたと同時に、「今のこの気持ちをファンのお客さんはもちろん、まだ『ゼルダ』に興味を持っていないお客さんにも届けるのが自分の今回の仕事なんだ」と、仕事への闘志がふつふつと沸きあがったことをはっきり覚えています。以来、自分が関わった仕事のなかでも、最も多くのイラストを、最も長期にわたって描くことになりました。これまでは、ゲームが発売されたら、アートワークの仕事はそれで終わり、ということが多かったのですが、今回の『ゼルダ』はダウンロードコンテンツが出ることもあって、ゲーム本編の発売後も、イラストを描き続けていました。僕はわりとドライなので、そのタイトルの仕事が終わったらスパッと次の仕事に移るのが常なのですが、今回は「この仕事を終えたくない。もっともっと描き続けたい」と思うようになっていました。それくらい、自分自身が『ブレス オブ ザ ワイルド』の世界にどっぷり浸かり、密接な存在として感じられるようになっていたんだと思います。

　今作の発売後は、ネットで世界中のレビューや感想をチェックするのが、楽しみのひとつになっていました。僕はゲームの開発に直接関わったわけではないんですけど、それでも世界中のファンの方々が発信する、いろいろな反響を読んでは、画面の前でニヤニヤしていました。そしてそれは、ソフトの発売後も追加でイラストを描き続けるためのモチベーションにもなっていたんです。そういった多くの反応のなかには、僕が描いたイラストへのコメントもたくさんありました。イラスト自体の感想はもちろん、その制作の意図に触れてくださる方もいて、そういうコメントのひとつひとつに喜びを感じるとともに、僕の絵を見ていろいろな想像をして盛り上がってもらえることに、この仕事をしていて良かったなぁ……としみじみ感じました。でも、そのいっぽうで悔しい思いをすることもあります。そのひとつが、今作のリンクのイラストを左右反転している場面に出くわしたときです。何で反転するか、といったら、それは右利きのリンクを左利きにしたいから、なんですよね。連綿と受け継がれた左利きのリンクの偉大さは重々理解しているのですが、実は僕、『ゼルダ』に関わったのは『スカイウォードソード』のときからなので、連続で右利きのリンクを描いているんです。なので、右利きでも同じリンクとしてありのままを愛してほしいなぁ……と人一倍思っています（笑）。

　今回の仕事では、雑誌の表紙用にイラストを描き下ろしたことも、とても楽しい経験になりました。雑誌を手にしてくださったお客さんが、そのイラストが何なのかといろいろ想像しながらワクワクしてゲームの発売日を迎えてくださればいいなと思って、数点の絵を描き下ろしました。そのひとつがアメリカの雑誌用に描いた、真ん中のマスターソードを握るリンクとゼルダ姫のイラストです（P.020-021）。この雑誌の表紙は絵を表と裏につなげて描くのが通例ですが、せっかくなので表と裏を活かしたいという気持ちと、読者の目を惹きつけるため何か仕組みを入れたいなぁと考えていました。そこで、100年という時を隔てて生きる2人を、マスターソードで繋げることにしました。同じポーズで剣を持つ2人。でもリンクは"現在"の姿で、ゼルダ姫は100年前の姿。2人の剣のシルエットは繋がっているように見えるけど、そこには100年の時が流れている。それを雑誌の表と裏を使って表現することにしたのです。この時期にはまだ公式にはあまり情報を発信していないこともありましたが、この雑誌のイラストを目にしたお客さんが、いろいろな興味深い考察をしてくださっているのを見て、とてもうれしい気持ちになりました。

　そして、おそらく僕が描く『ブレス オブ ザ ワイルド』の最後の一枚絵になるんじゃないかと思っているのが、この「マスターワークス」のために描き下ろした、P.004-005のイラストです。ラストの絵になるだろうということで、題材はラストバトルにしました。そして、英傑そろい踏みで描くことにしたのですが、最初はゲームのラストシーンと同じように、リンクには光の弓を持たせ、100年前にこの世を去った、他の英傑たちには緑色のエフェクトをつけて描くつもりでした。でも途中から、見た人がもっとワクワクする、うれしい気持ちになるような絵は描けないだろうか？　と考えて、今の形になりました。この絵は「もし100年前に……」という気持ちを込めて描いたものなのですが、みなさんにもいろいろな想像をめぐらせていただいて、楽しんでいただけたらこれ以上うれしいことはありません。

　僕自身、みなさんと同じように『ブレス オブ ザ ワイルド』が大好きです。ですから、この仕事を終えたくない、ずっと描き続けたいという想いは、この最後のイラストを描いたあとでも続いています。「マスターワークス」を開いて、そんな僕が描いた絵を見て、少しでも今作の世界を思い出して、冒険した気持ちになっていただけるとしたら、それはすごくうれしいことです。ハイラルを旅をした人の数だけ、その人だけの冒険があると思います。僕のイラストがそのあなただけの冒険や、まだ見ぬ冒険の想像の糧になれれば幸いです。

和田 拓▶1983年、福島県生まれ。主にイラストレーターとして、ゲームソフトの広報用イラストなどを制作。『スカイウォードソード』のイラスト制作を担当し、シリーズに初参加。絵のタッチは多彩で、今作『ブレス オブ ザ ワイルド』でも新たな絵柄にチャレンジをしている。

次の『ゼルダ』はもう始まっています

青沼英二 ▶ 1963年、長野県生まれ。『ゼルダの伝説』シリーズ総合プロデューサー。スーパーファミコン用ソフト『マーヴェラス～もうひとつの宝島～』を開発したのちに、『時のオカリナ』の開発チームへ参加。以来、『ゼルダの伝説』のすべてのタイトルに関わり、シリーズを牽引する。

まずは遊んでいただいたすべてのみなさんに「ありがとう」と言わせてください。そして、すべての開発スタッフにも「疲れたと思うけど幸せだったよね。僕も幸せでした」と伝えたいです。こんなに楽しくワクワクしながら開発をできたのは久しぶりで、本当にこのスタッフでなければ、『ブレス オブ ザ ワイルド』はつくれなかったと思っています。

開発中、スタッフのみんなが制作しているのを見ていて、その昔、『時のオカリナ』をつくったときのことを思い出しました。『時のオカリナ』で初めて『ゼルダ』を3Dにしたとき、現在のように3Dゲームの文法がある時代ではないですし、僕自身も『ゼルダ』の開発をするのは初めてのことでしたから、何をどうしたら3Dのゲームとしてちゃんとしたものになるのかがわからなかったんです。そんな白紙の状態でしたから、とにかく考えて、試しておかしかったらやり直すことの繰り返しだったんですね。まさに今回の『ブレス オブ ザ ワイルド』も、レールのない、誰も経験したことのない開発だったので、『時のオカリナ』の当時と同じような感じを受けたんです。だからこそ、日本ゲーム大賞の大賞を『時のオカリナ』に続いていただきましたけども、再びその高みに到達できたというのは本当にうれしかったですね。

僕は今回「ゼルダのアタリマエを見直す」という指針を最初に提示しました。それは『スカイウォードソード』のときに、天空のマップを使ってピンポイントな場所に降りていく遊びをつくりましたが、それに対してファンの方から「マップとマップの間の世界が知りたい」という意見を多くいただいたことがきっかけだったりします。『ゼルダ』は、ずっとどこまでも遊べる世界を目指してつくってきたのに、いつの間にか「アタリマエ」という制約に縛られていたんですね。ですので、スタッフに対して「今回はそういったことから逃げないつくりにしよう。全力で遊び場をつくり、考えつくものはすべて入れ込む。今までの『ゼルダ』はこうだったという考えは捨てよう」と言ったんです。そうは言っても大変なのはわかっていました。広い世界で遊びたいとは思っていましたけど、具体的にどんな遊びにすればいいかについてはぼんやりとしていましたし、どこにでも行けるようにするということはユーザーさんが迷うことにもつながりますからね。

けれど、無謀とも言える、その要求に応える覚悟がスタッフのなかにはできていたんです。そして、彼らがしっかりと考えてくれた結果、僕の想像していたものよりも、すごいものが出来上がりました。僕はターニングポイントとなるところでは議論をしたりはしましたが、基本

は熱量の高いスタッフたちがどんどんつくってくれるものを、純粋に評価するということに注力することができました。だから、僕は最初のお客さんという目線で楽しませてもらったところがあります。

もちろん、ユーザーさんにはご迷惑をおかけしてしまいましたが、開発時間をたっぷりいただけたことも、とてもありがたかったです。今だから言える話なのですが、実はもっと早期にゲーム開発を完結させ、発売することも可能でした。でも、「この世界はもっと良くなる、もっとこうしたい！」という気持ちがどんどん溢れてきて、もう止めようがなかったんですね。逆に、どこまで開発をすれば終わりなのかもわからないくらいだったんです（笑）。それは本当に幸せな時間で、制作期間はかかってしまいましたけど、無駄なことは一切なく、試行錯誤はもちろんありましたが、ひたすら前に進む開発でした。

もうひとつ『時のオカリナ』のときもそうだったなぁと思ったことがありました。それはリンクのアクションです。当時は世界にあるものに触れる感覚、日常に起きうることを主にリンクのアクションで実現することを考えていました。だから、その後のシリーズを制作していくなかでも、リンクのアクションのバリエーションを増やすことを重要視するようになったのです。けれど、今回のスタッフたちは「それじゃダメだ」ということに気づいていました。アクションを増やせば操作はどんどん複雑になり、また増やせるアクションにも限界があります。その結果、リンクのアクションを増やすのではなく、冒険の舞台に豊富な事象を入れることで、シンプルなアクションでも、その組み合わせによって予想外な結果を楽しめる遊びが生まれたのです。今までだと、広い世界をどうつくろうか、リンクの遊びをどうしようかというのは違うベクトルで考えてきたのですが、今回はそれをうまく合致させることができたんですね。それにより、ずっとやりたかった「世界で何ができるかを探し出し、そこに触れる遊び」がより現実味をもって提示できたように思っています。もちろんそこには、今回導入した物理演算などのテクノロジーの進化も大きいのですが、だからこそ、『時のオカリナ』のときに目指した、アクションの原点回帰を感じさせつつも、同じ『ゼルダの伝説』という方向性のなかで、新しいことが感じられるようになったのかなと思っています。

ほかにも『ゼルダ』のアタリマエを見直さないといけないポイントだったのが、ひとつの目的が終わったら次の目的というふうに、導線を敷く遊びです。『時のオカリナ』の時代では、

導線があるのは当然のことでしたが、今回は導線という壁を乗り越えることができたのです。そんな導線がなくても楽しく遊べるという手応えを、僕が最初に感じたのは馬でした。あの広い世界でずっと走っていても飽きない、馬で何の目的もなく走っているだけでワクワクしたんですね。しかも、馬はすごくお利口で、空気の壁があって、その先に進めないというのではなく、行っちゃいけないところでは、ちゃんと自分の意思で止まってくれますし（笑）。そこも、生きた馬だからこそのコミュニケーションのような感覚もあったので、『時のオカリナ』や『トワイライトプリンセス』の馬とはまったく違うものになったと、強い手応えを感じたんです。

この馬に乗って、世界がどんどん広がるような感覚は、実は僕が若いころに初めてバイクに乗ったときの感覚にわりと近いものでした。で、自分としては、ハイラルの大地をバイクで走ってみたくなったんです（笑）。それでスタッフに「バイクを走らせたらダメ？」と聞いてみたのですが、「遊びが崩れる」と言われて、一発で却下されたんですね。なので、一度は諦めたのですが、あるとき「ダウンロードコンテンツを最後まで遊んだ人へのご褒美がないよね」という話になったんです。もう「これは最後のチャンスだ」と思って、「お客さんは最後まで遊び尽くして、そのあとのご褒美なんだから、ある程度は遊びに破綻が出てもいいじゃん。バイク、出そうよ！」って、再び説得を試みたんです。すると、最初はみんなのリアクションは薄かったんですけど、「リンクが乗る神獣というイメージがあったらうれしくない？」とか言ったりして、「厄災ガノン討伐用の神獣がもう1体いたらややこしくなります」とか言われながら、何とか入れてもらったのが、追加コンテンツの第2弾に入れた「マスターバイク零式」です。

あの世界を走るんだから、やはりオフロード型ですよね。最初はあんなに渋っていたスタッフも次第にノリノリになってくれてうれしかったですね。プログラマーはバイクを実際に購入してモトクロスを体験したり、オフロードバイクをちゃんと自分たちで理解するところまでしてからプラニングをしてくれています。とはいえ、ゲームの世界ですから、リアリティを追求するだけじゃダメだと思って、僕はアクセルを入れたらヴォンって鳴ってほしいとか、イメージの話をよくしていました。だって、僕の頭の中にあったのは特撮もののヒーロー像ですから（笑）。

最後にユーザーのみなさんにお伝えしたいことは、『ゼルダ』というよりも「ゲームってまだまだいけるでしょ！」ということですね。今

回、大人の方から「昔ゲームにハマっていたときの気持ちを思い出して遊べました」という感想を多くいただきました。自分たちも原点回帰の気持ちでつくっていましたので、そこをユーザーさんにも感じていただけたということに、強い手応えを感じることができたんです。Nintendo Switchは持ち運ぶこともできますから、ここからまた新しい気持ちで、じっくりとゲームと向き合ってもらえたら、うれしいと思います。

また、これまで発売された「ハイラル百科」などの書籍では、『ゼルダ』の物語の時系列を明かしてきましたが、『ブレス オブ ザ ワイルド』では明らかにしていません。それには理由があるんです。今回、先ほどの感想のように本当にたくさんのユーザーさんが自分たちなりに遊んでくれているのを見ていて、それこそ物語も、僕らが表現した断片的なイメージから想像して楽しんでくれていることがわかりました。そんなところに、こちらが限定的な時系列を提示したら、それが正解になってしまいますから、想像する余地がなくなってつまらないですよね。そういった想像する楽しみを、ゲームを遊んだ後もずっと継続していただきたかったので、今回はあえて明言しないことにしました。みなさんで、みなさんなりの答えを見つけてほしいなと思います。

そして、この「マスターワークス」は『ゼルダの伝説』30周年記念書籍の3集目ですが、あくまで30周年は節目であり通過点です。次の『ゼルダ』はもう始まっています。『ブレス オブ ザ ワイルド』で、あのような世界をつくることができたからこそ、次の『ゼルダ』があると考えていただけたらと思います。すでに31年目に漕ぎ出している『ゼルダの伝説』を、これからもよろしくお願いいたします！

THE LEGEND OF ZELDA BREATH OF THE WILD
MASTER WORKS

ゼルダの伝説　ブレス オブ ザ ワイルド
マスターワークス

STAFF

企画・統括・執筆	坂井一哉
編集・構成・執筆	冠 美花
	太細友香里
執筆	嘉山直幸
	kikai
	左尾昭典
	三瓶千智
マップ制作	岡澤 隆
撮影	中道昭二
校閲	佐藤大作
編集協力	冠 喜美子
	冠 春江
	古谷正人
Special Thanks to	青沼英二(任天堂)
	『ゼルダの伝説　ブレス オブ ザ ワイルド』開発チーム
監修・協力	任天堂株式会社
デザイン	麓 佑生(有限会社フリーウェイ)
	村松 亨修(有限会社フリーウェイ)
	齋藤 翔真(有限会社フリーウェイ)
	齋藤 隼希(有限会社フリーウェイ)
	本多 亜弓(有限会社フリーウェイ)
	八重 朋美(有限会社フリーウェイ)
アートディレクター	斎藤詩音(有限会社フリーウェイ)
DTP	有限会社ウィッチ・プロジェクト
印刷・製本	株式会社山栄プロセス

© 2017 Nintendo
Licensed by NINTENDO

© ambit 2017
Printed in Japan

© 2017 Nintendo
ゼルダの伝説：© 1986 Nintendo
ゼルダの伝説 時のオカリナ：© 1998 Nintendo
ゼルダの伝説 スカイウォードソード：© 2011 Nintendo
ゼルダの伝説 風のタクトHD：© 2002-2013 Nintendo
ゼルダの伝説 ムジュラの仮面 3D：© 2000-2015 Nintendo
ゼルダの伝説 トワイライトプリンセスHD：© 2006-2016 Nintendo

NintendoDREAM編集部　編著
2017年12月31日　第1刷
2023年 8月31日　第9刷

発行人
工藤 克俊

発行
株式会社アンビット
〒112-0013　東京都文京区音羽1-15-15 シティ音羽 205号
TEL:03-6304-1371(編集)

発売
株式会社徳間書店
〒141-8202　東京都品川区上大崎3-1-1 目黒セントラルスクエア
TEL:049-293-5521(販売)
振替:00140-0-44392

乱丁・落丁本はお取り替えいたします。

本書のコピー、スキャン、デジタル化等の無断複製は著作権法上での例外を除き禁じられています。
本書を代行業者等の第三者に依頼してスキャンやデジタル化することは、たとえ個人や家庭内の利用であっても一切認められておりません。
写真撮影、スキャン、キャプチャー等を行って無断でインターネット上に公開する行為は、法律に違反するものとして損害賠償請求を受け、
また刑事罰が科せられるおそれのある行為ですので、お止めください。

禁無断転載

ISBN978-4-19-864539-7